문제 해결 연산 학습지

응용 연산

B1
초2~초3

곱셈구구

Creative to Math

씨투엠

응용연산 : 상위권으로 가는 문제해결 연산 학습지

요즘 아이들은 초등학교 입학 전에 연산 문제집 한 권 정도는 풀어본 경험이 있습니다. 어릴 때부터 연산 문제를 많이 풀었기 때문에 아이들은 아직 학교에서 배우지 않은 계산 문제를 슥슥 풀어서 부모님들을 흐뭇하게 만들기도 합니다. 그런데 아이들의 연산 능력은 날로 높아지지만 수학 실력은 과거에 비해 그다지 늘지 않은 것 같습니다. 사실 진짜 수학 실력은 연산 문제나 사고력 수학 문제를 주로 푸는 초등 저학년 때는 잘 드러나지 않습니다. 응용 문제를 본격적으로 풀기 시작하는 초등 3, 4학년이 되어서야 아이의 수학 실력을 판별할 수 있습니다.

초등 수학에서 연산이 가장 중요한 것은 부정할 수 없는 사실입니다. 중학생, 고등학생이 되어서 부족한 연산 능력을 키우는 것은 거의 불가능합니다. 이러한 연산의 특수성 때문에 아이들은 어린 나이부터 연산을 반복적으로 연습하여 실력을 키우려고 합니다. 이렇게 열심히 연산을 공부하는데도 왜 어떤 아이들은 수학 문제를 잘 풀지 못하는 것일까요? 그 이유는 현재 연산 학습의 목적이 단지 '계산을 잘 하는 것'이 되어버렸기 때문입니다. 연산은 연산 자체가 목적이 될 수 없으며 수학의 진짜 목표인 문제를 잘 풀기 위한 수단으로 연산을 학습해야 합니다.

과거 초등 수학 교과서의 연산 단원은 ① 원리와 연습 ② 문장제 활용의 단순한 구성이었습니다만 요즘의 교과서는 많이 달라졌습니다. 원리와 연습은 그대로이거나 조금 줄었지만 연산을 응용하는 방식은 좀 더 다양해졌습니다. 계산 능력의 향상만을 꾀하는 것이 아니라 여러 가지 퍼즐이나 수학적 상황 등을 해결할 수 있는 '응용력'에 초점을 맞추고 있다는 것을 보여주는 변화입니다. 따라서 저희는 연산 학습지도 원리나 연습 위주에서 벗어나 실제 문제를 해결할 수 있는 능력에 포인트를 맞추어야 한다고 생각합니다.

'연산은 잘 하는데 수학 문제는 왜 못 풀까요?'에 대한 대답이자 대안으로 저희는 「응용연산」이라는 새로운 컨셉의 연산 학습지를 만들었습니다. 연산 원리를 이해하고 연습하는 것에 그치지 않고, 익힌 것을 활용하는 방법을 바로 보여줄 수 있어야 아이들이 수학 문제에 연산을 효과적으로 적용할 수 있습니다. 연습은 꼭 필요한 만큼만 하고, 더 중요한 응용 문제에 바로 도전함으로써 연산과 문제 해결이 단절되지 않게 하는 것이 「응용연산」에서 기대하는 가장 큰 목표입니다.

「응용연산」을 통해 아이들이 왜 연산을 해야 하는지 스스로 느낄 수 있을 것이라 자신합니다. 이제 연산은 '원리'나 '연습'이 아닌 스스로 문제를 해결할 수 있는 '응용력'입니다.

응용연산의 구성과 특징

- 매일 부담없이 4쪽씩 연산 학습
- 매주 4일간 단계별 연산 학습과 응용 문제를 통한 연산 실력 확인
- 매주 1일 형성평가로 테스트 및 복습

주차별 구성

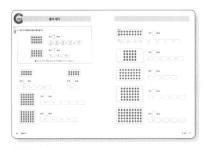

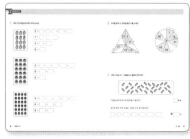

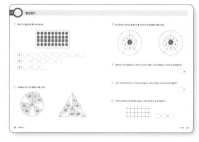

원리연산
대표 문제를 통해 학습하는 매일 새로운 단계별 연산 학습

응용연산
기본 문제와 응용 문제를 통한 응용력과 문제해결력 증진

형성평가
가장 중요한 유형을 다시 한번 복습하며 주차 학습 마무리

정답 및 해설

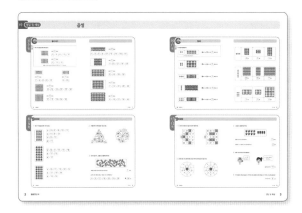

문제와 답을 한눈에 볼 수 있습니다.

이 책의 차례

묶어 세기

개념
원리

여러 가지 방법으로 묶어 세어 봅시다.

3씩 | 5 | 묶음

| 3 | – | 6 | – | 9 | – | 12 | – | 15 |

5씩 | 3 | 묶음

| 5 | – | 10 | – | 15 |

●는 3개씩 묶으면 5묶음, 5개씩 묶으면 3묶음으로 모두 15개입니다.

2씩 [ ] 묶음

[ ] – [ ] – [ ] – [ ] – [ ]

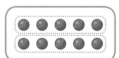

5씩 [ ] 묶음

[ ] – [ ]

5씩 [ ] 묶음

[ ] – [ ] – [ ] – [ ] – [ ] – [ ]

6씩 [ ] 묶음

[ ] – [ ] – [ ] – [ ] – [ ]

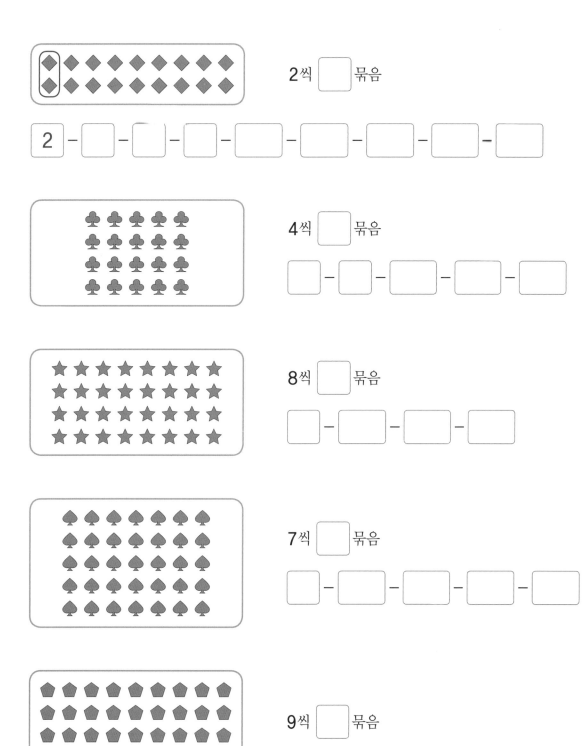

2씩 ☐ 묶음

2 – ☐ – ☐ – ☐ – ☐ – ☐ – ☐ – ☐ – ☐

4씩 ☐ 묶음

☐ – ☐ – ☐ – ☐ – ☐

8씩 ☐ 묶음

☐ – ☐ – ☐ – ☐

7씩 ☐ 묶음

☐ – ☐ – ☐ – ☐ – ☐

9씩 ☐ 묶음

☐ – ☐ – ☐ – ☐ – ☐

1 여러 가지 방법으로 묶어 세어 보세요.

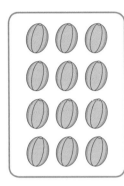

2 – ☐ – ☐ – ☐ – ☐ – ☐

3 – ☐ – ☐ – ☐

4 – ☐ – ☐

6 – ☐

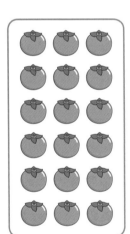

3 – ☐ – ☐ – ☐ – ☐ – ☐

6 – ☐ – ☐

9 – ☐

4 – ☐ – ☐ – ☐ – ☐ – ☐

6 – ☐ – ☐ – ☐

8 – ☐ – ☐

2 규칙을 찾아 빈 곳에 알맞은 수를 쓰세요.

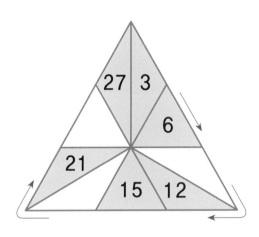

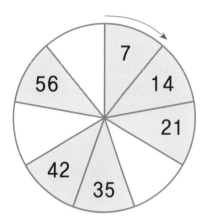

3 사탕이 있습니다. 그림을 보고 물음에 답하세요.

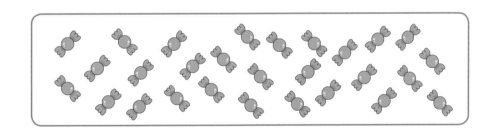

사탕을 4개씩 묶으면 몇 묶음이 될까요?

[ ] 묶음

4개씩 묶어 세어 보세요. 사탕은 모두 몇 개일까요?

[ ] – [ ] – [ ] – [ ] – [ ] – [ ] – [ ]

답 [ ] 개

몇 배

 개념
원리

몇 배인지 알아봅시다.

    ★의 수는 ♥의 수의 **6** 배입니다.

2씩 6묶음은 2의 6배입니다.

    ◆의 수는 ♣의 수의 ☐ 배입니다.

    ♠의 수는 ⬠의 수의 ☐ 배입니다.

    ⬡의 수는 ●의 수의 ☐ 배입니다.

   ■의 수는 ▲의 수의 ☐ 배입니다.

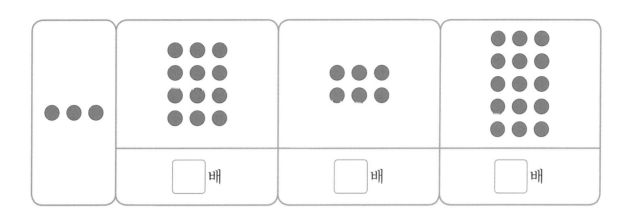

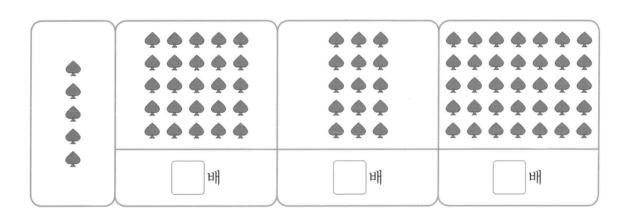

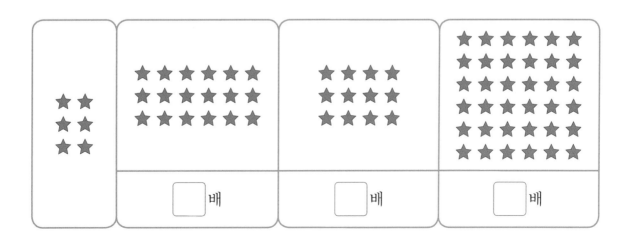

1 ◗ 안의 수의 몇 배인 수를 모두 찾아 색칠하세요.

5	4	27	10	1
	19	25	13	17
	20	16	6	2
	3	30	9	31
	26	11	15	7

6	35	25	13	12
	2	18	42	8
	1	4	50	33
	19	36	48	5
	3	27	7	24

2 3의 몇 배인 수와 4의 몇 배인 수를 구하여 빈 곳에 알맞은 수를 쓰세요.

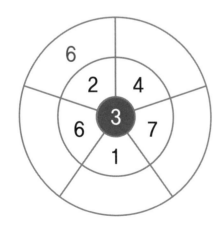

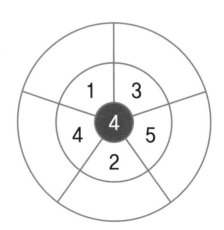

3 그림을 보고 물음에 답하세요.

꿀벌은 **4**씩 몇 묶음일까요?   묶음

꿀벌의 수는 꽃송이 수의 몇 배일까요?   배

4 승희가 읽은 책은 모두 몇 권일까요?

승희가 읽은 책: 권

5 지우 동생의 나이는 **3**살입니다. 지우의 나이는 동생의 나이의 **3**배입니다. 지우의 나이는 몇 살일까요?

살

덧셈식과 곱셈식

개념
원리

모두 몇 개인지 덧셈식과 곱셈식으로 나타내어 봅시다.

덧셈식: $4 + 4 + 4 + 4 + 4 + 4 = 24$

곱셈식: $4 \times 6 = 24$

4씩 6묶음은 4의 6배이고, 곱셈식으로 나타내면 $4 \times 6 = 24$입니다.

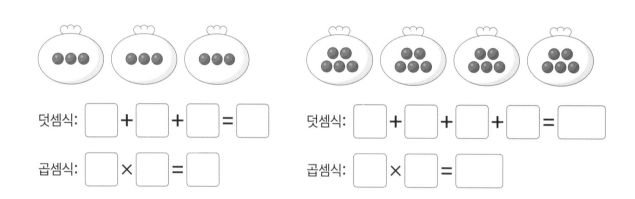

덧셈식: ☐ + ☐ + ☐ = ☐

곱셈식: ☐ × ☐ = ☐

덧셈식: ☐ + ☐ + ☐ + ☐ = ☐

곱셈식: ☐ × ☐ = ☐

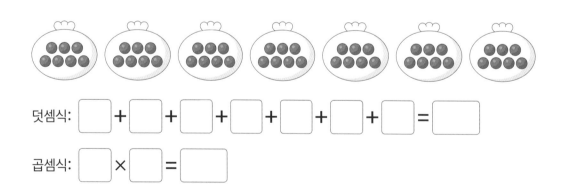

덧셈식: ☐ + ☐ + ☐ + ☐ + ☐ + ☐ + ☐ = ☐

곱셈식: ☐ × ☐ = ☐

$6 + 6 + 6 = \boxed{}$

$6 \times \boxed{} = \boxed{}$

$2 + 2 + 2 + 2 + 2 = \boxed{}$

$2 \times \boxed{} = \boxed{}$

$7 + 7 = \boxed{}$

$7 \times \boxed{} = \boxed{}$

$5 + 5 + 5 + 5 + 5 + 5 = \boxed{}$

$5 \times \boxed{} = \boxed{}$

$4 + 4 + 4 = \boxed{}$

$4 \times \boxed{} = \boxed{}$

$9 + 9 + 9 + 9 + 9 + 9 = \boxed{}$

$9 \times \boxed{} = \boxed{}$

$3 + 3 + 3 + 3 = \boxed{}$

$3 \times \boxed{} = \boxed{}$

$8 + 8 + 8 + 8 + 8 = \boxed{}$

$8 \times \boxed{} = \boxed{}$

$5 + 5 + 5 + 5 = \boxed{}$

$5 \times \boxed{} = \boxed{}$

$6 + 6 + 6 + 6 + 6 + 6 = \boxed{}$

$6 \times \boxed{} = \boxed{}$

1 몇 개인지 덧셈식과 곱셈식으로 나타내세요.

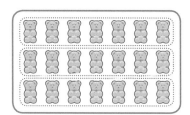

덧셈식: _____

곱셈식: _____

덧셈식: _____

곱셈식: _____

2 ☐ 안에 알맞은 수를 쓰세요.

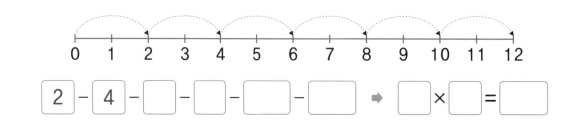

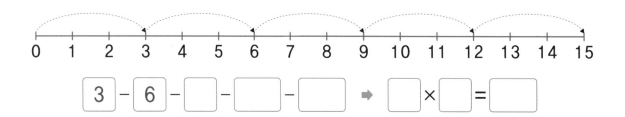

3 다음을 곱셈식으로 나타내세요.

3개씩 4묶음은 12개입니다.

_____

6 + 6 + 6 + 6 + 6 + 6 + 6 = 42

_____

9의 4배는 36입니다.

_____

5와 2의 곱은 10입니다.

_____

4 젤리가 4개씩 들어있는 통이 5개 있습니다. 젤리는 모두 몇 개인지 덧셈식과 곱셈식으로 나타내세요.

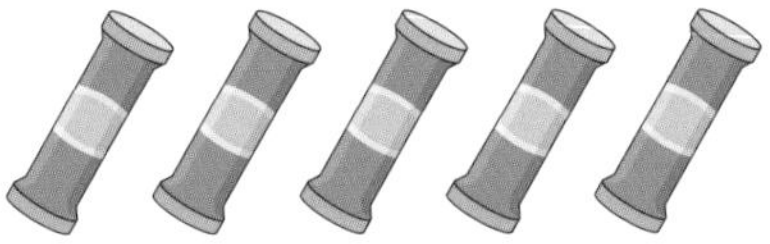

덧셈식: _____

곱셈식: _____

5 지웅이는 3일 동안 매일 3권씩 책을 읽었습니다. 지웅이가 읽은 책은 모두 몇 권인지 덧셈식과 곱셈식으로 나타내세요.

덧셈식: _____

곱셈식: _____

곱셈식으로 나타내기

개념
원리

점의 수를 구하는 곱셈식을 알아봅시다.

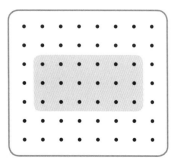

4 × 5 = 20
5 × 4 = 20

세로로 점을 4개씩 묶어 세면
4씩 5묶음,
가로로 점을 5개씩 묶어 세면
5씩 4묶음입니다.

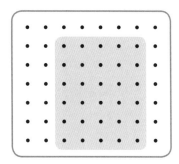

3 × □ = □
6 × □ = □

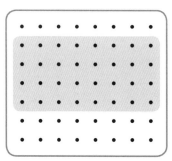

4 × □ = □
8 × □ = □

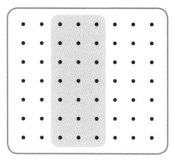

6 × □ = □
5 × □ = □

7 × □ = □
3 × □ = □

$2 \times \boxed{} = \boxed{}$ $3 \times \boxed{} = \boxed{}$

$4 \times \boxed{} = \boxed{}$ $6 \times \boxed{} = \boxed{}$

$2 \times \boxed{} = \boxed{}$ $3 \times \boxed{} = \boxed{}$

$6 \times \boxed{} = \boxed{}$ $9 \times \boxed{} = \boxed{}$

$3 \times \boxed{} = \boxed{}$ $4 \times \boxed{} = \boxed{}$

$6 \times \boxed{} = \boxed{}$ $8 \times \boxed{} = \boxed{}$

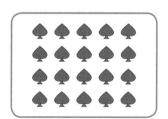

$2 \times \boxed{} = \boxed{}$ $4 \times \boxed{} = \boxed{}$

$5 \times \boxed{} = \boxed{}$ $10 \times \boxed{} = \boxed{}$

$3 \times \boxed{} = \boxed{}$ $5 \times \boxed{} = \boxed{}$

$6 \times \boxed{} = \boxed{}$ $10 \times \boxed{} = \boxed{}$

1 가로선과 세로선이 만나면 점이 생깁니다. ☐ 안에 알맞은 수를 쓰세요.

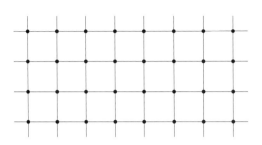

세로선 하나에 점이 ☐ 개씩 있습니다.

세로선은 ☐ 줄입니다.

점의 개수는 모두 ☐ × ☐ = ☐ 개입니다.

2 다음을 보고 ☐ 안에 알맞은 수를 쓰세요.

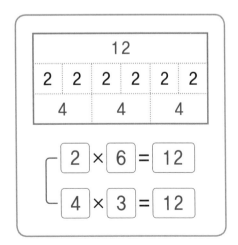

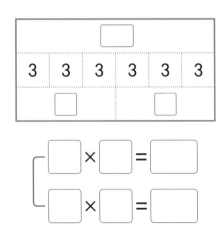

3 빈 곳에 알맞은 그림을 그리고, 곱셈식을 쓰세요.

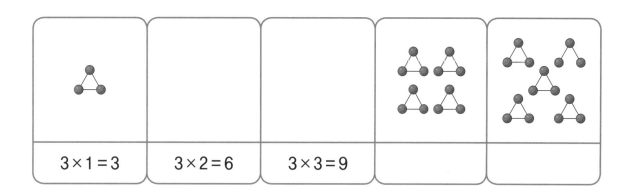

$3 \times 1 = 3$	$3 \times 2 = 6$	$3 \times 3 = 9$		

4 택시 한 대에 바퀴가 **4**개씩 있습니다. 택시가 **7**대 있을 때 바퀴는 모두 몇 개인지 곱셈식으로 나타내세요.

곱셈식: _____

5 빵을 **5**개씩 **6**접시에 담았습니다. 접시에 담은 빵은 모두 몇 개인지 곱셈식으로 나타내세요.

곱셈식: _____

1 여러 가지 방법으로 묶어 세어 보세요.

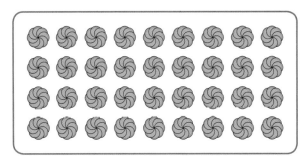

4 – ☐ – ☐ – ☐ – ☐ – ☐ – ☐ – ☐ – ☐

6 – ☐ – ☐ – ☐ – ☐ – ☐

9 – ☐ – ☐ – ☐

2 규칙을 찾아 빈 곳에 알맞은 수를 쓰세요.

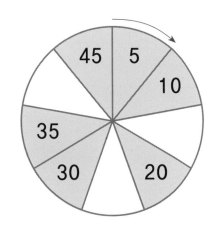

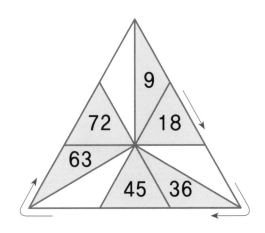

3 5의 몇 배인 수와 6의 몇 배인 수를 구하여 빈 곳에 알맞은 수를 쓰세요.

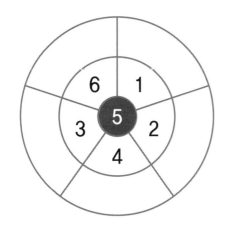 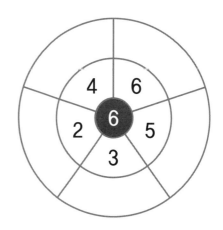

4 지원이의 나이는 9살입니다. 어머니의 나이는 지원이 나이의 4배입니다. 어머니는 몇 살일까요?

 살

5 사과가 3개씩 담긴 바구니가 모두 5개 있습니다. 바구니에 담긴 사과는 모두 몇 개일까요?

 개

6 가로선과 세로선이 만나면 점이 생깁니다. 점의 개수는 모두 몇 개일까요?

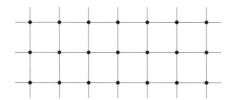 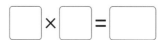

7 다음을 곱셈식으로 나타내세요.

6개씩 6묶음은 36개입니다.

_____

8+8+8+8+8+8+8+8+8=72

_____

3의 5배는 15입니다.

_____

9와 3의 곱은 27입니다.

_____

8 가게에 두발자전거 4대와 세발자전거 6대가 있습니다. 두발자전거와 세발자전거의 바퀴의 수는 각각 몇 개인지 곱셈식으로 나타내세요.

곱셈식: _____

곱셈식: _____

곱셈구구(1)

2~6의 단 곱셈구구

2와 4의 단 곱셈구구

개념
원리

2와 4의 단 곱셈구구를 알아봅시다.

2의단 2× 1 =2

2× 2 =4

2× 3 = 6

2× 4 =8

2× 5 = ☐

2× 6 = ☐

2× ☐ =14

2× 8 = ☐

2× 9 = ☐

4의단 4× 1 =4

4의 단 곱셈구구에서
곱하는 수가 1씩 커지면
그 곱은 4씩 커집니다.

4× 2 =8

4× 3 =12

4× 4 = 16

4× 5 = ☐

4× ☐ =24

4× 7 = ☐

4× 8 = ☐

4× 9 = ☐

2의 단 곱셈구구에서
곱하는 수가 1씩 커지면
그 곱은 2씩 커집니다.

2×5=10

2×6=12 +2

2×7=☐ +☐

2×8=☐ +2

2×9=☐ +☐

4×5=20

4×6=☐ +4

4×7=☐ +4

4×8=☐ +☐

4×9=☐ +☐

$2 \times 7 = \boxed{}$

$2 \times \boxed{} = 16$

$2 \times 5 = \boxed{}$

$2 \times 2 = \boxed{}$

$2 \times \boxed{} = 12$

$2 \times 4 = \boxed{}$

$2 \times 8 = \boxed{}$

$2 \times \boxed{} = 10$

$2 \times 3 = \boxed{}$

$2 \times 9 = \boxed{}$

$2 \times \boxed{} = 14$

$2 \times 6 = \boxed{}$

$4 \times 2 = \boxed{}$

$4 \times \boxed{} = 20$

$4 \times 8 = \boxed{}$

$4 \times 7 = \boxed{}$

$4 \times \boxed{} = 16$

$4 \times 9 = \boxed{}$

$4 \times 6 = \boxed{}$

$4 \times \boxed{} = 12$

$4 \times 5 = \boxed{}$

$4 \times 3 = \boxed{}$

$4 \times \boxed{} = 28$

$4 \times 4 = \boxed{}$

1 빈 곳에 알맞은 수를 쓰세요.

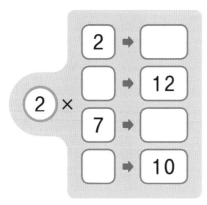

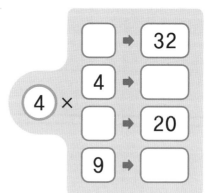

2 각 단에 나오는 곱을 모두 찾아 ◯표 하세요.

2의 단

1	2	3	4	5	6	7	8	9
10	11	12	13	14	15	16	17	18

4의 단

1	2	3	4	5	6	7	8	9	10	11	12
13	14	15	16	17	18	19	20	21	22	23	24
25	26	27	28	29	30	31	32	33	34	35	36

3 ○ 안에 알맞은 수를 넣고 곱셈을 하여 빈칸을 채우세요.

× ○	
2	
4	32

× ○	
4	36
	18

× ○	
2	12
4	

4 관계있는 것끼리 선으로 이으세요.

4개씩 5봉지에 들어있는 빵의 수 ○　　　○ $4 \times 4 = 16$

두발자전거 7대의 바퀴의 수 ○　　　○ $4 \times 5 = 20$

강아지 4마리의 다리의 수 ○　　　○ $2 \times 7 = 14$

5 그림과 같이 연필로 네모 모양을 만들었습니다. 네모 모양 7개를 만들려면 연필은 모두 몇 자루 필요할까요?

......

식 _____　　　답 _____ 자루

3과 6의 단 곱셈구구

개념
원리

3과 6의 단 곱셈구구를 알아봅시다.

3의단 $3 \times 1 = 3$

$3 \times 2 = 6$

$3 \times 3 = \boxed{9}$

$3 \times 4 = \boxed{12}$

$3 \times \boxed{} = 15$

$3 \times 6 = \boxed{}$

$3 \times 7 = \boxed{}$

$3 \times 8 = \boxed{}$

$3 \times 9 = \boxed{}$

3의 단 곱셈구구에서
곱하는 수가 1씩 커지면
그 곱은 3씩 커집니다.

6의단 $6 \times 1 = 6$

6의 단 곱셈구구에서
곱하는 수가 1씩 커지면
그 곱은 6씩 커집니다.

$6 \times 2 = 12$

$6 \times \boxed{3} = 18$

$6 \times 4 = \boxed{24}$

$6 \times 5 = \boxed{}$

$6 \times 6 = \boxed{}$

$6 \times \boxed{} = 42$

$6 \times 8 = \boxed{}$

$6 \times 9 = \boxed{}$

$3 \times 5 = 15$ $+\boxed{}$

$3 \times 6 = 18$ $+\boxed{}$

$3 \times 7 = \boxed{}$

$+3$

$3 \times 8 = \boxed{}$

$+3$

$3 \times 9 = \boxed{}$

$6 \times 5 = 30$ $+\boxed{}$

$6 \times 6 = \boxed{}$

$+6$

$6 \times 7 = \boxed{}$

$+\boxed{}$

$6 \times 8 = \boxed{}$

$+\boxed{}$

$6 \times 9 = \boxed{}$

$3 \times 2 = \boxed{}$

$3 \times \boxed{} = 15$

$3 \times 6 = \boxed{}$

$3 \times 5 = \boxed{}$

$3 \times \boxed{} = 21$

$3 \times 8 = \boxed{}$

$3 \times 9 = \boxed{}$

$3 \times \boxed{} = 12$

$3 \times 3 = \boxed{}$

$3 \times 7 = \boxed{}$

$3 \times \boxed{} = 24$

$3 \times 4 = \boxed{}$

$6 \times 8 = \boxed{}$

$6 \times \boxed{} = 12$

$6 \times 6 = \boxed{}$

$6 \times 4 = \boxed{}$

$6 \times \boxed{} = 30$

$6 \times 7 = \boxed{}$

$6 \times 3 = \boxed{}$

$6 \times \boxed{} = 36$

$6 \times 9 = \boxed{}$

$6 \times 2 = \boxed{}$

$6 \times \boxed{} = 54$

$6 \times 5 = \boxed{}$

1 가로, 세로로 두 수의 곱에 맞게 빈 곳에 알맞은 수를 쓰세요.

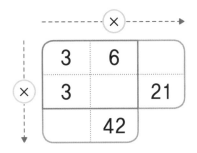

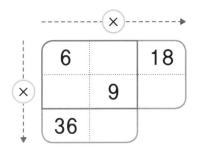

2 3의 단과 6의 단에서 곱셈구구의 값을 작은 수부터 찾아 미로를 통과하세요.

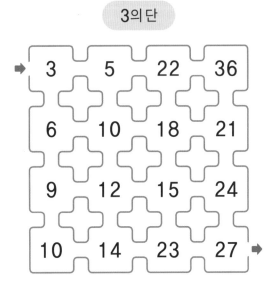

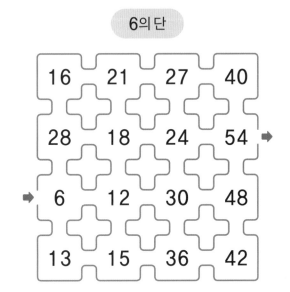

3 빈 곳에 알맞은 수를 쓰세요.

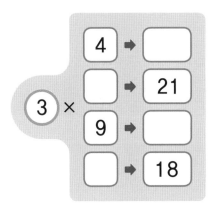

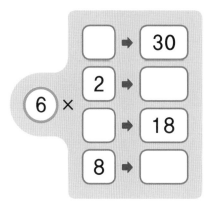

4 개미 한 마리의 다리는 6개입니다.

개미 5마리의 다리는 모두 몇 개일까요?

식 _____   답 _____ 개

개미 9마리의 다리는 모두 몇 개일까요?

식 _____   답 _____ 개

5 공원에 3명씩 앉을 수 있는 긴 의자가 8개 있습니다. 모두 몇 명이 앉을 수 있을까요?

식 _____   답 _____ 명

5의 단과 2~6의 단 종합

개념
원리

5의 단 곱셈구구를 알아봅시다.

5의단 $5 \times 1 = 5$ $5 \times 6 = \boxed{30}$

$5 \times 2 = 10$ $5 \times 7 = \boxed{35}$

$5 \times 3 = \boxed{}$ $5 \times \boxed{} = 40$

$5 \times 4 = \boxed{}$ $5 \times 9 = \boxed{}$

$5 \times \boxed{} = 25$

5의 단 곱셈구구에서 곱의 일의 자리 숫자는 0 또는 5입니다.

$5 \times 8 = \boxed{}$ $5 \times \boxed{} = 25$ $5 \times 6 = \boxed{}$

$5 \times 2 = \boxed{}$ $5 \times \boxed{} = 40$ $5 \times 3 = \boxed{}$

$5 \times 4 = \boxed{}$ $5 \times \boxed{} = 45$ $5 \times 5 = \boxed{}$

$5 \times 7 = \boxed{}$ $5 \times \boxed{} = 30$ $5 \times 9 = \boxed{}$

$2 \times 2 =$ ☐

$6 \times$ ☐ $= 36$

$5 \times 6 =$ ☐

$4 \times 5 =$ ☐

$5 \times$ ☐ $= 25$

$2 \times 8 =$ ☐

$3 \times 9 =$ ☐

$2 \times$ ☐ $= 12$

$6 \times 7 =$ ☐

$3 \times 7 =$ ☐

$3 \times$ ☐ $= 24$

$4 \times 4 =$ ☐

$6 \times 8 =$ ☐

$6 \times$ ☐ $= 12$

$4 \times 6 =$ ☐

$5 \times 4 =$ ☐

$4 \times$ ☐ $= 32$

$5 \times 7 =$ ☐

$4 \times 3 =$ ☐

$3 \times$ ☐ $= 24$

$6 \times 9 =$ ☐

$3 \times 2 =$ ☐

$5 \times$ ☐ $= 45$

$2 \times 5 =$ ☐

1 5의 단 곱셈구구에 나오는 수를 따라 미로를 통과하세요.

2 다음 숫자 카드 중 두 장을 뽑아 두 수의 곱을 구합니다. 나올 수 있는 곱에 모두 ○표 하세요.

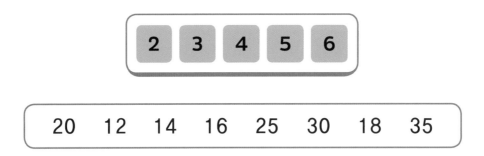

3 선으로 이어진 두 수의 곱이 아래의 수가 되도록 주머니 속의 수를 빈칸에 쓰세요.

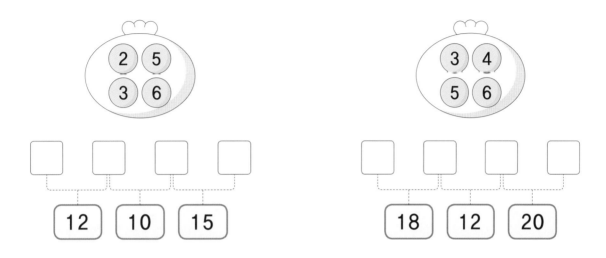

4 한 팀에 5명의 선수가 있습니다. 6팀이 모여서 농구 경기를 한다면 선수는 모두 몇 명일까요?

식 _____   답 _____ 명

5 달리기 경주에서 1등은 5점, 2등은 4점을 얻습니다. 세종이네 반은 1등이 4명, 2등은 6명입니다.
   세종이네 반 학생들의 점수는 모두 몇 점일까요?

_____ 점

바꾸어 곱하기

개념
원리

두 수를 바꾸어 곱을 구해 봅시다.

$3 \times 5 =$ 15
$5 \times 3 =$ 15

$2 \times 6 =$ 12
$6 \times 2 =$ 12

두 수를 바꾸어 곱해도 계산 결과는 같습니다.

$3 \times 6 =$ ☐
$6 \times 3 =$ ☐

$5 \times 6 =$ ☐
$6 \times 5 =$ ☐

$2 \times 5 =$ ☐
$5 \times 2 =$ ☐

$4 \times 6 =$ ☐
$6 \times 4 =$ ☐

$4 \times 5 =$ ☐
$5 \times 4 =$ ☐

$3 \times 4 =$ ☐
$4 \times 3 =$ ☐

$2 \times 4 =$ ☐
$4 \times 2 =$ ☐

$1 \times 6 =$ ☐
$6 \times 1 =$ ☐

$2 \times 3 =$ ☐
$3 \times 2 =$ ☐

$2 \times 7 =$ ☐
$7 \times 2 =$ ☐

$6 \times 8 =$ ☐
$8 \times 6 =$ ☐

$4 \times 9 =$ ☐
$9 \times 4 =$ ☐

$9 \times 5 = 5 \times \boxed{} = \boxed{}$

$8 \times 4 = 4 \times \boxed{} = \boxed{}$

$7 \times 2 = 2 \times \boxed{} = \boxed{}$

$9 \times 3 = 3 \times \boxed{} = \boxed{}$

$7 \times 4 = 4 \times \boxed{} = \boxed{}$

$8 \times 5 = 5 \times \boxed{} = \boxed{}$

$9 \times 2 = \boxed{}$

$9 \times \boxed{} = 54$

$8 \times 6 = \boxed{}$

$7 \times 6 = \boxed{}$

$8 \times \boxed{} = 24$

$9 \times 6 = \boxed{}$

$8 \times 2 = \boxed{}$

$9 \times \boxed{} = 36$

$7 \times 3 = \boxed{}$

$8 \times 1 = \boxed{}$

$7 \times \boxed{} = 42$

$8 \times 3 = \boxed{}$

$7 \times 5 = \boxed{}$

$9 \times \boxed{} = 27$

$9 \times 1 = \boxed{}$

1 관계있는 것끼리 선으로 이으세요.

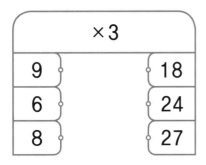

×3	
9	18
6	24
8	27

×4	
8	32
7	36
9	28

2 가로, 세로로 놓인 두 수의 곱을 빈 곳에 알맞게 써넣으세요.

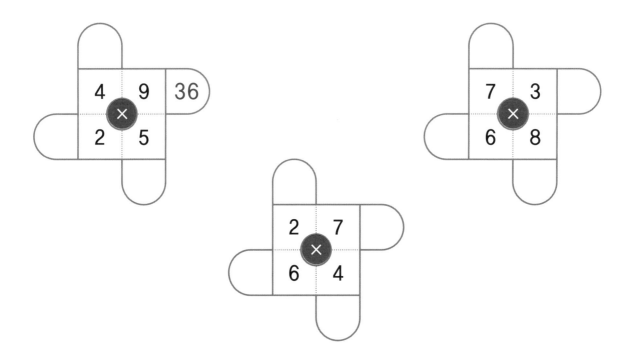

3 주어진 수를 모두 사용하여 곱셈식 2개를 만드세요.

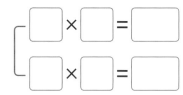

4 초콜릿이 있습니다. 3개씩 묶어 세어 곱셈식으로 나타내면 $3 \times 9 = 27$입니다. 다른 묶음으로 세어 곱셈식으로 나타내세요.

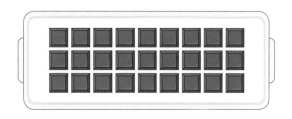

곱셈식: _____

5 1주일은 7일이고 여름 방학은 5주일입니다. 여름 방학은 모두 며칠인지 곱셈식으로 알아보세요.

식 _____   답 _____ 일

1 ◯ 안에 알맞은 수를 찾고 곱셈을 하여 빈칸을 채우세요.

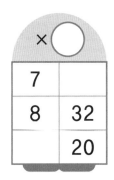

×◯	
4	8
6	
	18

×◯	
7	
8	32
	20

×◯	
	21
9	
6	18

2 가로, 세로로 두 수의 곱에 맞게 빈 곳에 알맞은 수를 쓰세요.

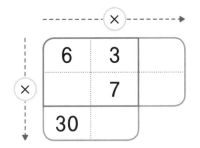

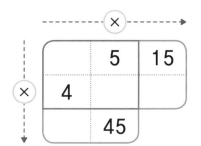

3 다음 숫자 카드 중 두 장을 뽑아 두 수의 곱을 구합니다. 나올 수 있는 곱에 모두 ◯표 하세요.

2	5	6	7	9

16   35   36   42   45   24   25   30

4   5의 단에서 곱셈구구의 값을 작은 수부터 찾아 미로를 통과하세요.

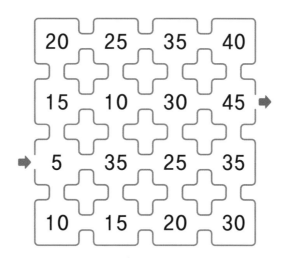

5   선으로 이어진 두 수의 곱이 아래의 수가 되도록 주머니 속의 수를 빈칸에 쓰세요.

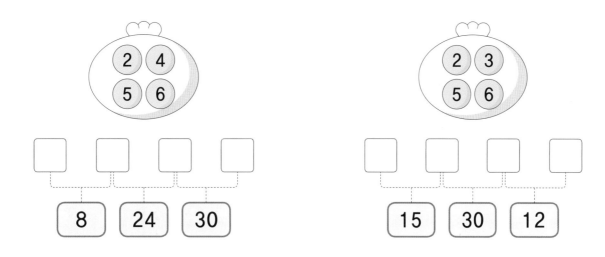

6 가로, 세로로 놓인 두 수의 곱을 빈 곳에 알맞게 써넣으세요.

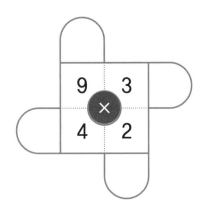

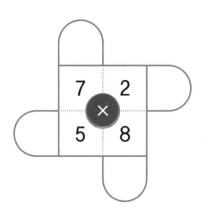

7 주어진 수를 모두 이용하여 곱셈식 2개를 만드세요.

| 5 | 4 | 20 |

$\square \times \square = \square$

$\square \times \square = \square$

| 4 | 32 | 8 |

$\square \times \square = \square$

$\square \times \square = \square$

8 사탕 35개를 5개씩 묶어 세어 곱셈식으로 나타내면 5 × 7 = 35
입니다. 다른 묶음으로 세어 곱셈식으로 나타내세요.

곱셈식: _____

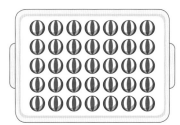

3주차

곱셈구구(2)

7~9의 단 곱셈구구와 곱셈표

7과 8의 단 곱셈구구

개념
원리

7과 8의 단 곱셈구구를 알아봅시다.

7의단

$7 \times 1 = 7$

$7 \times 2 = 14$

$7 \times 3 = \boxed{21}$

$7 \times 4 = \boxed{28}$

$7 \times \boxed{} = 35$

$7 \times 6 = \boxed{}$

$7 \times 7 = \boxed{}$

$7 \times \boxed{} = 56$

$7 \times 9 = \boxed{}$

7의 단 곱셈구구에서
곱하는 수가 1씩 커지면
그 곱은 7씩 커집니다.

8의단

$8 \times 1 = 8$

8의 단 곱셈구구에서
곱하는 수가 1씩 커지면
그 곱은 8씩 커집니다.

$8 \times 2 = 16$

$8 \times \boxed{3} = 24$

$8 \times \boxed{4} = 32$

$8 \times 5 = \boxed{}$

$8 \times 6 = \boxed{}$

$8 \times \boxed{} = 56$

$8 \times 8 = \boxed{}$

$8 \times 9 = \boxed{}$

$7 \times 5 = 35$

$7 \times 6 = 42$ $+7$

$7 \times 7 = \boxed{}$ $+\boxed{}$

$7 \times 8 = \boxed{}$ $+\boxed{}$

$7 \times 9 = \boxed{}$ $+7$

$8 \times 5 = 40$

$8 \times 6 = \boxed{}$ $+8$

$8 \times 7 = \boxed{}$ $+8$

$8 \times 8 = \boxed{}$ $+\boxed{}$

$8 \times 9 = \boxed{}$ $+\boxed{}$

$7 \times 6 = \boxed{}$

$7 \times \boxed{} = 56$

$7 \times 3 = \boxed{}$

$7 \times 8 = \boxed{}$

$7 \times \boxed{} = 49$

$7 \times 5 = \boxed{}$

$7 \times 2 = \boxed{}$

$7 \times \boxed{} = 21$

$7 \times 4 = \boxed{}$

$7 \times 9 = \boxed{}$

$7 \times \boxed{} = 35$

$7 \times 7 = \boxed{}$

$8 \times 4 = \boxed{}$

$8 \times \boxed{} = 16$

$8 \times 6 = \boxed{}$

$8 \times 2 = \boxed{}$

$8 \times \boxed{} = 40$

$8 \times 9 = \boxed{}$

$8 \times 7 = \boxed{}$

$8 \times \boxed{} = 64$

$8 \times 5 = \boxed{}$

$8 \times 8 = \boxed{}$

$8 \times \boxed{} = 32$

$8 \times 3 = \boxed{}$

1   8의 단과 7의 단을 생각하여 빈 곳에 알맞은 수를 쓰세요.

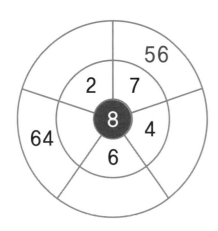

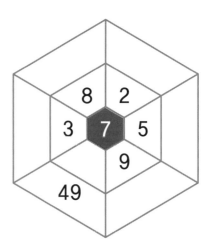

2   ◯ 안에 알맞은 수를 찾고 곱셈을 하여 빈칸을 채우세요.

× ◯	
	48
7	56
4	
9	

× ◯	
2	14
	63
6	
5	
	56

× ◯	
5	
8	64
	24
	16

3 가로, 세로로 두 수의 곱에 맞게 상자 안의 수를 빈 곳에 쓰세요.

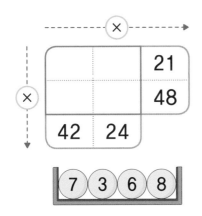

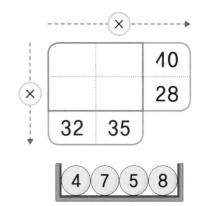

4 거미 한 마리의 다리는 8개입니다.

거미 3마리의 다리는 모두 몇 개일까요?

식 _____   답 _____ 개

거미 7마리의 다리는 모두 몇 개일까요?

식 _____   답 _____ 개

5 오늘은 7월 1일입니다. 4주일 후는 몇 월 며칠일까요?

_____ 월   _____ 일

9의 단과 7~9단 종합

개념
원리

9의 단 곱셈구구를 알아봅시다.

9의 단

$9 \times 1 = 9$ $9 \times 6 = \boxed{54}$

$9 \times 2 = 18$ $9 \times \boxed{} = 63$

$9 \times \boxed{3} = 27$ $9 \times 8 = \boxed{}$

$9 \times 4 = \boxed{}$ $9 \times 9 = \boxed{}$

$9 \times 5 = \boxed{}$

9의 단 곱셈구구에서 곱의 십의 자리 숫자와 일의 자리 숫자를 더하면 항상 9가 됩니다.

$9 \times 1 = \boxed{}$ $9 \times \boxed{} = 27$ $9 \times 8 = \boxed{}$

$9 \times 6 = \boxed{}$ $9 \times \boxed{} = 63$ $9 \times 3 = \boxed{}$

$9 \times 5 = \boxed{}$ $9 \times \boxed{} = 81$ $9 \times 7 = \boxed{}$

$9 \times 9 = \boxed{}$ $9 \times \boxed{} = 45$ $9 \times 4 = \boxed{}$

$7 \times 5 = \boxed{}$

$9 \times \boxed{} = 54$

$8 \times 2 = \boxed{}$

$9 \times 6 = \boxed{}$

$8 \times \boxed{} = 16$

$7 \times 9 = \boxed{}$

$8 \times 3 = \boxed{}$

$6 \times \boxed{} = 12$

$9 \times 8 = \boxed{}$

$9 \times 2 = \boxed{}$

$7 \times \boxed{} = 21$

$8 \times 4 = \boxed{}$

$7 \times 7 = \boxed{}$

$8 \times \boxed{} = 40$

$9 \times 5 = \boxed{}$

$8 \times 9 = \boxed{}$

$9 \times \boxed{} = 36$

$7 \times 3 = \boxed{}$

$9 \times 4 = \boxed{}$

$7 \times \boxed{} = 56$

$8 \times 6 = \boxed{}$

$7 \times 8 = \boxed{}$

$8 \times \boxed{} = 72$

$9 \times 7 = \boxed{}$

1 **9**의 단 곱셈구구의 값을 찾아 선을 그으세요.

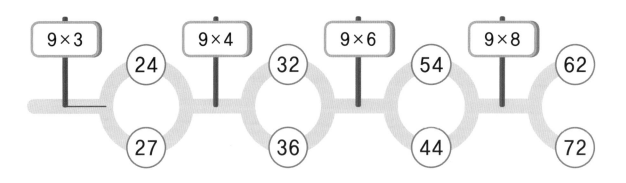

2 선으로 이어진 두 수의 곱이 아래의 수가 되도록 주머니 속의 수를 빈칸에 쓰세요.

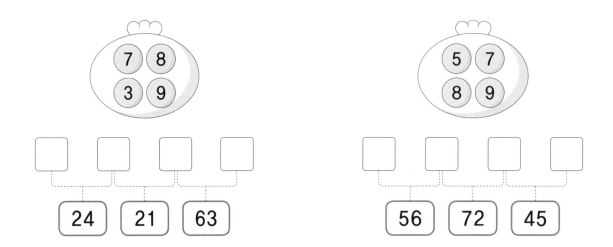

3 다음 숫자 카드 중 두 장을 뽑아 두 수의 곱을 구합니다. 나올 수 있는 곱에 모두 ○표 하세요.

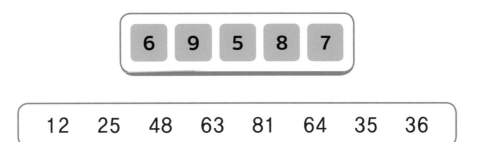

6 9 5 8 7

12   25   48   63   81   64   35   36

4 민호의 나이는 9살입니다. 민호 아버지는 민호 나이의 4배보다 3살이 많다고 합니다. 민호 아버지의 나이는 몇 살일까요?

식 _____   답 _____ 살

5 사탕을 현태는 9개씩 6묶음을 가지고 있고, 수경이는 7개씩 8묶음을 가지고 있습니다.

현태는 사탕을 몇 개 가지고 있을까요?

식 _____   답 _____ 개

수경이는 사탕을 몇 개 가지고 있을까요?

식 _____   답 _____ 개

사탕을 더 많이 가지고 있는 사람은 누구일까요?

_____

곱셈구구

오른쪽과 아래쪽 방향으로 곱셈을 하여 만든 가로 세로 곱셈구구 퍼즐을 알아봅시다.

7			
5	4	2	0
3			
5	3	1	5

$7 \times 5 = 35$ $5 \times 4 = 20$

			3
9	7	6	3
		1	9
	7		

$3 \times 3 = 9$

3	3	9				6			
		4							
		3			6	6			6
		6	7	4				8	
4				7				2	
1									
6		5	4		4	2			
							9		
			2	0					
			4				2		

$2 \times 3 = \boxed{}$

$5 \times \boxed{} = 25$

$7 \times 9 = \boxed{}$

$8 \times 6 = \boxed{}$

$9 \times \boxed{} = 18$

$5 \times 2 = \boxed{}$

$4 \times 2 = \boxed{}$

$2 \times \boxed{} = 16$

$9 \times 4 = \boxed{}$

$6 \times 9 = \boxed{}$

$6 \times \boxed{} = 42$

$3 \times 7 = \boxed{}$

$9 \times 5 = \boxed{}$

$8 \times \boxed{} = 72$

$2 \times 6 = \boxed{}$

$3 \times 4 = \boxed{}$

$4 \times \boxed{} = 16$

$6 \times 5 = \boxed{}$

$5 \times 8 = \boxed{}$

$7 \times \boxed{} = 21$

$8 \times 3 = \boxed{}$

$7 \times 7 = \boxed{}$

$3 \times \boxed{} = 18$

$4 \times 8 = \boxed{}$

1 다음과 같은 규칙으로 곱셈구구 미로를 통과하는 길을 그리세요.

규칙
① 도착한 곳의 수가 두 자리 수이면 각 자리 숫자의 곱이 있는 곳으로 이동합니다.
② 한 자리 수이면 그 수를 2번 곱한 수가 있는 곳으로 이동합니다.

37	21	18	30
10	2	4	25
45	8	16	6
15	24	32	36

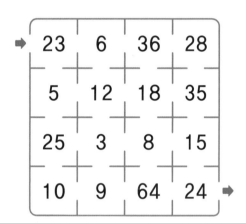

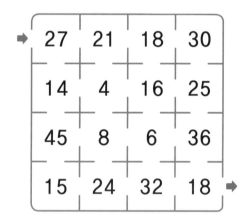

2 □ 안에 공통으로 들어갈 수를 구하세요.

$2 \times \square = 0,\ 7 \times \square = 0,\ \square \times 9 = 0$

3 다음과 같이 □ 안에 들어갈 수 있는 수에 모두 ○표 하세요.

$5 \times \square < 6 \times 6$

⑥　⑦　8　9

$4 \times \square < 3 \times 7$

3　4　5　6

$8 \times \square > 9 \times 4$

3　4　5　6

$8 \times 7 > 9 \times \square$

5　6　7　8

4 ♠, ♣, ◆ 기호의 규칙을 찾아 □ 안에 알맞은 수를 쓰세요.

$4 ♠ 9 = 6$　　$7 ♠ 5 = 5$　　$3 ♠ 6 = 8$　　　$8 ♠ 3 = \square$

$3 ♣ 4 = 1$　　$8 ♣ 7 = 5$　　$6 ♣ 8 = 4$　　　$6 ♣ 5 = \square$

$8 ◆ 6 = 12$　　$2 ◆ 8 = 7$　　$4 ◆ 9 = 9$　　　$5 ◆ 3 = \square$

곱셈표

개념
원리

곱셈표를 완성하고, 각 단의 곱에 어떤 규칙이 있는지 알아봅시다.

×	1	2	3	4	5	6	7	8	9
1	1	2	3	4	5	6	7	8	9
2	2	4							
3	3	6							
4	4	8	12						
5	5	10	15	20					
6	6	12	18	24	30				
7	7	14	21	28	35	42			
8	8	16	24	32	40	48	56		
9	9	18	27	36	45	54	63	72	

3의 단 곱셈구구에서는 곱이 ☐ 씩 커집니다.

5의 단에서 곱의 일의 자리 숫자에는 ☐ 와 ☐ 이 번갈아 나옵니다.

9의 단에서 곱의 십의 자리 숫자와 일의 자리 숫자를 더하면 항상 ☐ 가 됩니다.

☐ 의 단, ☐ 의 단, ☐ 의 단, ☐ 의 단 곱셈구구는 곱의 일의 자리 숫자가 1부터 9까지 모두 다릅니다.

×	2	3	4	5
3				

×	6	7	8	9
6				

×	1	2
4		
5		

×	8	9
2		
3		

×	6	7
6		
7		

×	3	4	5	6
2				
3				

×	5	6	7	8
4				
5				

×	4	5
3		
4		
5		
6		

×	7	8
2		
3		
4		
5		

×	2	3
6		
7		
8		
9		

1 다음은 곱셈표의 일부분입니다. 빈칸에 알맞은 수를 쓰세요.

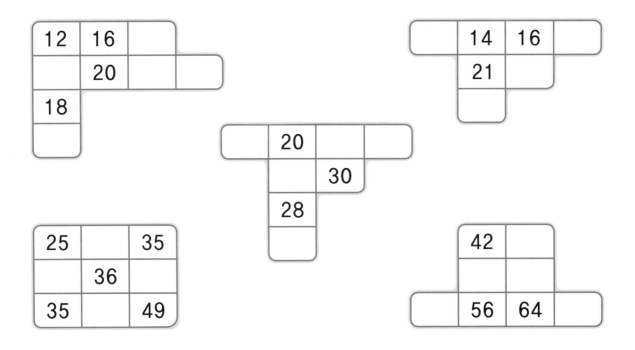

2 곱셈표의 일부분입니다. 점선을 따라 접었을 때, 색칠한 칸과 만나는 곳에 알맞은 수를 쓰세요.

×	1	2	3	4	5	6
1						
2						
3						
4						
5						
6						

3 오른쪽 곱셈표를 보고 물음에 답하세요.

×	1	2	3	4	5	6	7	8	9
1	1	2	3	4	5	6	7	8	9
2	2	4	6	8	10	12	14	16	18
3	3	6	9	12	15	18	21	24	27
4	4	8	12	16	20	24	28	32	36
5	5	10	15	20	25	30	35	40	45
6	6	12	18	24	30	36	42	48	54
7	7	14	21	28	35	42	49	56	63
8	8	16	24	32	40	48	56	64	72
9	9	18	27	36	45	54	63	72	81

곱셈구구표에서 3×8과 곱이 같은 곱셈구구를 모두 찾아쓰세요.

_____

5의 단에서 곱의 일의 자리 숫자는 0, 5로 2가지가 있습니다. 곱의 일의 자리 숫자가 5가지인 곱셈구구는 몇 단인지 모두 쓰세요.

_____

곱셈구구표에서 4번 나오는 곱을 모두 쓰세요.

_____

곱셈구구표에서 홀수 번 나오는 곱을 모두 쓰세요.

_____

1 가로, 세로로 두 수의 곱에 맞게 상자 안의 수를 빈칸에 쓰세요.

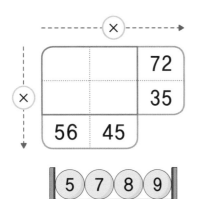

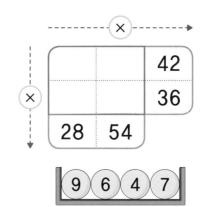

2 곱셈구구의 값을 찾아 선을 그으세요.

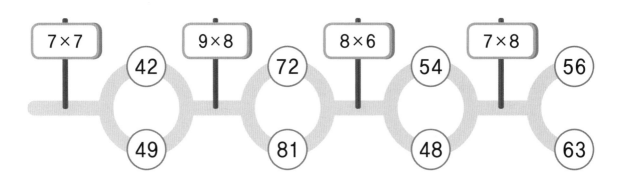

3 선으로 이어진 두 수의 곱이 아래의 수가 되도록 주머니 속의 수를 빈칸에 쓰세요.

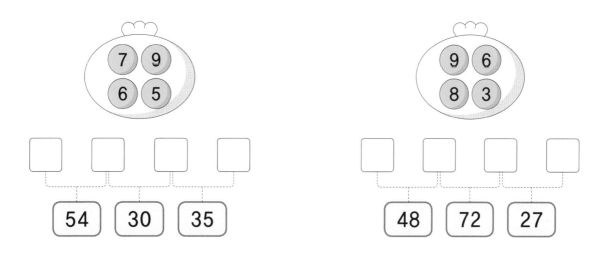

4 다음 숫자 카드 중 두 장을 뽑아 두 수의 곱을 구합니다. 나올 수 있는 곱에 모두 ◯표 하세요.

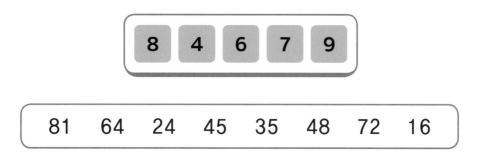

| 81 | 64 | 24 | 45 | 35 | 48 | 72 | 16 |

5   다음은 곱셈표의 일부분입니다. 빈칸에 알맞은 수를 쓰세요.

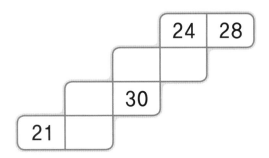

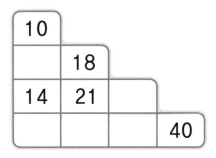

6   젤리가 **7**개씩 **9**상자, 사탕이 **8**개씩 **8**상자 있습니다. 젤리와 사탕은 각각 몇 개씩 있고, 어느 것이 더 많을까요?

젤리: _____ 개, 사탕: _____ 개   _____ 이 더 많습니다.

7   진희가 하루에 **8**개씩 귤을 먹습니다. 진희가 일주일 동안 먹은 귤은 모두 몇 개일까요?

식 _____   답 _____ 개

조건과 곱셈

조건에 맞는 곱셈식 만들기

곱셈식 만들기

개념
원리

숫자 카드를 사용하여 곱셈식을 만들어 봅시다.

| 3 | 4 | 6 | 9 |

4 × 9 = 3 6

| 2 | 3 |
| 7 | 1 |

```
    3
  × 7
  2 1
```

| 6 | 3 | 7 | 9 |

□ × □ = □ □

| 8 | 1 | 3 | 6 |

□ × □ = □ □

| 1 | 2 |
| 9 | 8 |

```
    □
  × □
  □ □
```

| 5 | 0 |
| 3 | 6 |

```
    □
  × □
  □ □
```

| 3 | 2 | 7 | 9 |

□ × □ = □ □

| 7 | 5 | 8 | 6 |

□ × □ = □ □

숫자 카드의 수를 한 번씩 모두
사용하여 곱셈식을 완성하세요.

| 9 | 4 | 2 |
| 5 | 8 | 4 |

$5 \times \boxed{} = \boxed{}\boxed{}$

$3 \times \boxed{} = \boxed{}\boxed{}$

| 8 | 2 | 6 |
| 7 | 0 | 3 |

$4 \times \boxed{} = \boxed{}\boxed{}$

$5 \times \boxed{} = \boxed{}\boxed{}$

| 1 | 4 | 3 |
| 2 | 8 | 6 |

$7 \times \boxed{} = \boxed{}\boxed{}$

$6 \times \boxed{} = \boxed{}\boxed{}$

| 3 | 8 | 6 |
| 5 | 2 | 4 |

$8 \times \boxed{} = \boxed{}\boxed{}$

$7 \times \boxed{} = \boxed{}\boxed{}$

| 7 | 3 | 1 |
| 0 | 6 | 5 |

$2 \times \boxed{} = \boxed{}\boxed{}$

$9 \times \boxed{} = \boxed{}\boxed{}$

1 이웃한 세 수 또는 네 수를 묶고 ×와 = 를 넣어 곱셈식을 만드세요.

3 7 2 (4 × 9 = 3 6) 5

2 8 7 5 6 4 2 9

9 2 4 0 6 3 1 8

2 주어진 숫자 카드를 한 번씩 모두 사용하여 곱셈식을 완성하세요.

| 5 | 6 | 7 |
| 4 | 3 | 2 |

□
× □
―――
1 4

□
× □
―――
2 4

□
× □
―――
1 5

| 4 | 3 | 6 |
| 8 | 7 | 5 |

□
× □
―――
2 0

□
× □
―――
4 8

□
× □
―――
2 1

3 가로, 세로로 이웃한 세 수 또는 네 수를 묶은 다음 ×와 =를 넣어 곱셈식 3개를 만드세요.

4 숫자 카드의 일부 또는 전부를 사용하여 만들 수 있는 한 자리 수끼리의 곱셈식을 모두 쓰세요.
(단, 2 × 7과 7 × 2와 같이 두 수의 순서만 바뀐 것은 같은 것으로 봅니다.)

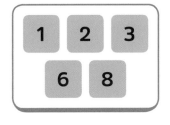

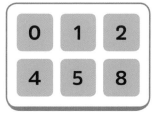

_____

_____

_____

_____

곱이 같은 두 수

개념
원리

곱이 같은 곱셈구구를 알아봅시다.

$1 \times 8 = 8$ $\qquad$ $2 \times 4 = 8$

$4 \times 2 = 8$ $\qquad$ $8 \times 1 = 8$

곱이 8이 되는 곱셈구구는 4개 있습니다.

$\square \times \square = 14$
$\square \times \square = 14$

$\square \times \square = 21$
$\square \times \square = 21$

$\square \times \square = 4$
$\square \times \square = 4$
$\square \times \square = 4$

$\square \times \square = 16$
$\square \times \square = 16$
$\square \times \square = 16$

$\square \times \square = 6$
$\square \times \square = 6$
$\square \times \square = 6$
$\square \times \square = 6$

$\square \times \square = 18$
$\square \times \square = 18$
$\square \times \square = 18$
$\square \times \square = 18$

○ 안의 수가 곱이 되는 한 자리 수
끼리의 곱셈식을 만드세요.

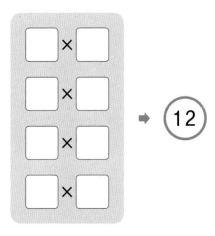

→ 12

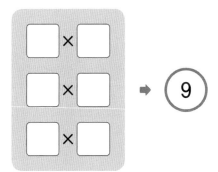

→ 9

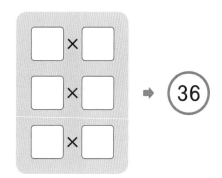

→ 36

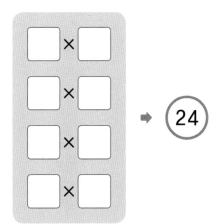

→ 24

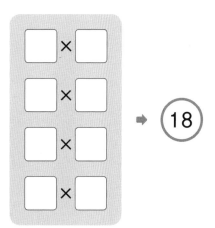

→ 18

1 🌸 안의 수가 곱이 되는 이웃한 두 수를 모두 찾아 ⬭ 또는 ◖◗ 로 묶으세요.

3	3	5	8
2	8	9	7
3	6	4	5
5	7	5	4

4	3	5	5
2	5	2	6
8	2	7	1
6	5	3	9

2 오른쪽과 같이 선으로 이어진 두 수의 곱이 같도록
선을 2개 긋고 ☆ 안에 그 곱을 쓰세요.

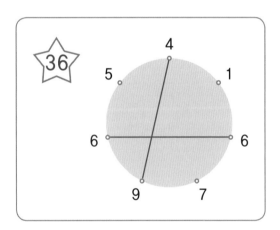

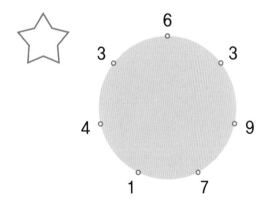

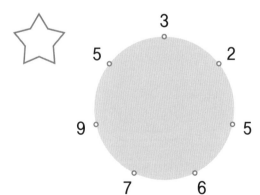

3 승호의 카드에 있는 두 수의 곱과 재영이의 카드에 있는 두 수의 곱이 같습니다. 승호가 가지고 있는 뒤집힌 카드의 수를 구하세요.

승호　　　　　　　재영

4 왼쪽 모양의 규칙을 찾아 빈 곳에 알맞은 수를 쓰세요.

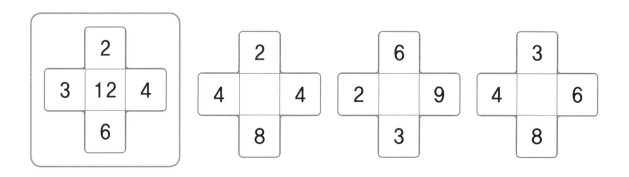

5 9를 한 자리 수끼리의 곱으로 나타낸 식은 다음과 같이 모두 3개입니다.

$$1 \times 9 = 9, \ 3 \times 3 = 9, \ 9 \times 1 = 9$$

다음 중 한 자리 수끼리의 곱으로 나타낸 식이 3개인 수가 아닌 수를 찾아 ×표 하세요.

| 4 | 16 | 24 | 36 |

□가 있는 곱셈식

어떤 수를 □라 하여 식을 세우고 □에 알맞은 수를 구해 봅시다.

어떤 수와 5의 곱은 25입니다.
➡ □×5 = 25

□ =   5

7에 어떤 수를 곱하면 42입니다.

➡ _____

□ = _____

어떤 수 곱하기 8은 40입니다.

➡ _____

□ = _____

4와 어떤 수의 곱은 32입니다.

➡ _____

□ = _____

어떤 수와 9의 곱은 54입니다.

➡ _____

□ = _____

8에 어떤 수를 곱하면 56입니다.

➡ _____

□ = _____

어떤 수와 6의 곱은 36입니다.

➡ _____

□ = _____

$6 \times \boxed{} = 54$

$\boxed{} \times 3 = 9$

$4 \times \boxed{} = 28$

$\boxed{} \times 3 = 27$

$7 \times \boxed{} = 56$

$\boxed{} \times 4 = 32$

$6 \times \boxed{} = 30$

$\boxed{} \times 8 = 16$

$5 \times \boxed{} = 45$

$\boxed{} \times 2 = 14$

$9 \times \boxed{} = 63$

$\boxed{} \times 9 = 36$

$6 \times 2 = 3 \times \boxed{}$

$1 \times 9 = \boxed{} \times 3$

$4 \times \boxed{} = 6 \times 6$

$\boxed{} \times 4 = 3 \times 8$

$3 \times 6 = 2 \times \boxed{}$

$2 \times 3 = \boxed{} \times 6$

$4 \times \boxed{} = 8 \times 2$

$\boxed{} \times 2 = 4 \times 1$

1 선으로 연결된 두 수의 곱이 위의 수가 됩니다. 빈 곳에 알맞은 수를 쓰세요.

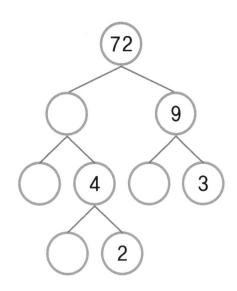

2 같은 모양은 같은 수, 다른 모양은 다른 수를 나타냅니다. ☐ 안에 알맞은 수를 쓰세요.

♥ × 5 = 45
7 × ★ = 28
★ × ♥ = ☐

7 × ◆ = 49
◐ × 8 = 40
◆ × ◐ = ☐

▲ × 5 = 30
■ × 9 = 27
▲ × ■ = ☐

♣ × 9 = 63
3 × ♠ = 18
♠ × ♣ = ☐

3 물음에 맞게 □를 사용한 식을 세우고 답을 구하세요.

재희는 한 상자에 담긴 개수가 똑같은 귤 6상자를 샀습니다. 산 귤이 모두 48개라면 한 상자에 담긴 귤은 몇 개일까요?

식 _____ 답 _____ 개

4 다음과 같이 □를 사용한 곱셈식을 세우고 답을 구하세요.

4봉지에 들어있는 사탕은 모두 20개입니다. 7봉지에 들어있는 사탕은 모두 몇 개일까요?

□를 사용한 식: $4 \times \square = 20$ $\square = 5$

식 $5 \times 7 = 35$ 답 35 개

상자 7개에 들어있는 연필이 모두 21자루입니다. 상자 9개에 들어있는 연필은 모두 몇 자루일까요?

□를 사용한 식: _____ $\square =$ _____

식 _____   답 _____ 자루

조건과 곱셈구구

개념
원리

주어진 수를 각 단의 곱에 맞게 써 봅시다.

| 2 | 3 | 4 | 6 | 8 | 9 |
| 10 | 12 | 14 | 15 | 16 | 18 |

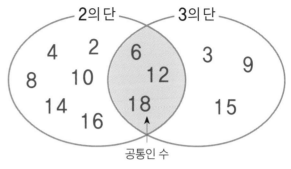

두 원이 겹쳐지는 곳에 2단의 곱과 3단의 곱에 공통으로 들어가는 수를 적습니다.

| 2 | 4 | 5 | 6 | 8 | 10 |
| 12 | 14 | 15 | 16 | 18 | |

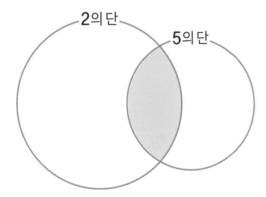

| 3 | 4 | 6 | 8 | 9 | 12 |
| 15 | 16 | 18 | 20 | 21 | 24 |

| 3 | 6 | 7 | 9 | 12 | 14 |
| 15 | 18 | 21 | 24 | 27 | |

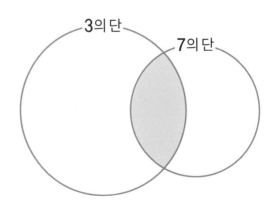

| 3 | 6 | 9 | 12 |
| 15 | 18 | 21 | 24 | 27 |

| 2 | 4 | 6 | 8 |
| 10 | 12 | 14 | 16 | 18 |

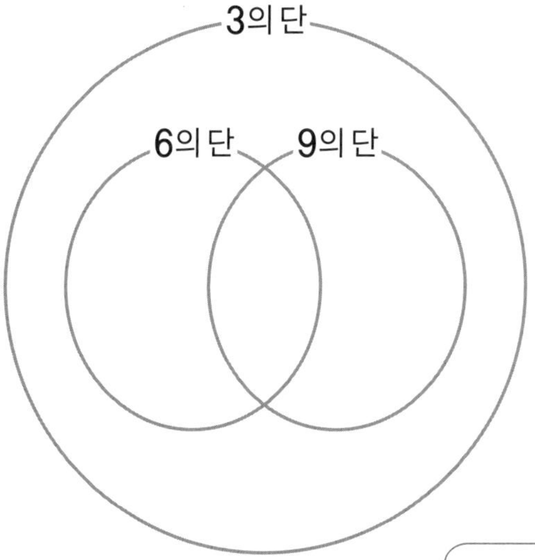

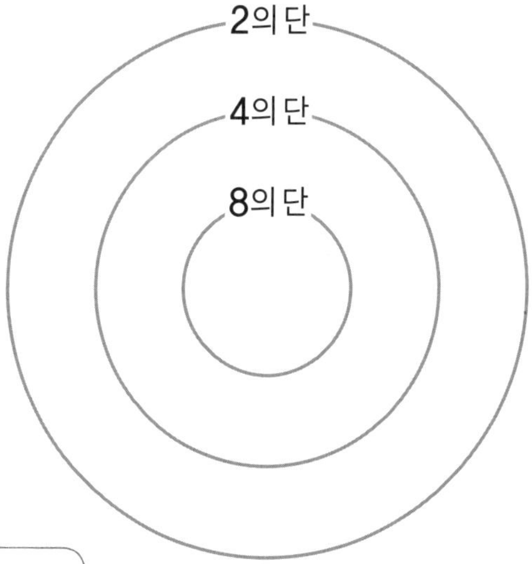

3의 단

6의 단   9의 단

2의 단

4의 단

8의 단

◯가 겹치거나 완전히 포함되는
부분에 쓰이는 수를 생각해서
곱을 넣어 보세요.

| 2 | 3 | 4 | 6 | 8 | 9 |
| 10 | 12 | 14 | 15 | 16 | 18 |

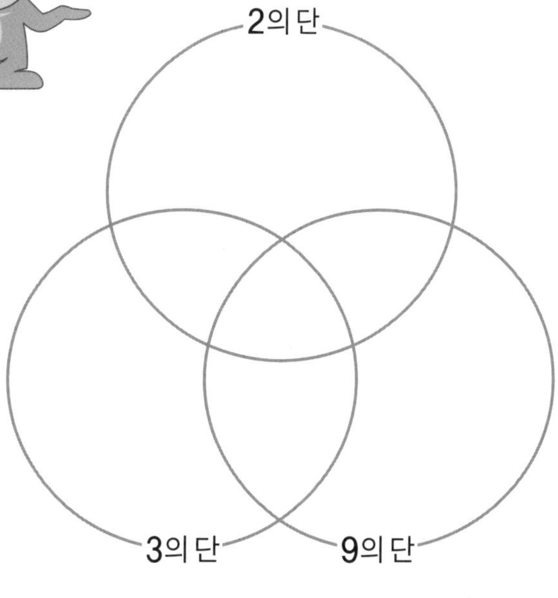

2의 단

3의 단   9의 단

1 다음 조건에 맞는 수를 구하세요.

- 6의 단 곱셈구구에 나오는 수입니다.
- 숫자 중의 하나는 8입니다.
- 8의 단 곱셈구구에도 나오는 수입니다.

- 4, 6의 단 곱셈구구에 모두 나오는 수입니다.
- 3×5보다 큽니다.
- 8의 단 곱셈구구에도 나오는 수입니다.

- 6×7보다 큽니다.
- 같은 두 수를 곱했을 때의 값입니다.
- 7×4를 두 번 더한 값보다 작습니다.

- 9의 단 곱셈구구에 나오는 수입니다.
- 7×8보다 큽니다.
- 8을 두 번 곱했을 때의 값보다 작습니다.

- 5의 단 곱셈구구에 나오는 수입니다.
- 6×6보다 작습니다.
- 6×3과 6×2를 더한 값보다 큽니다.

2 조건에 맞는 수를 따라 선으로 이으세요.

3 다음을 보고 슬기 어머니와 아버지, 삼촌의 나이를 구하세요.

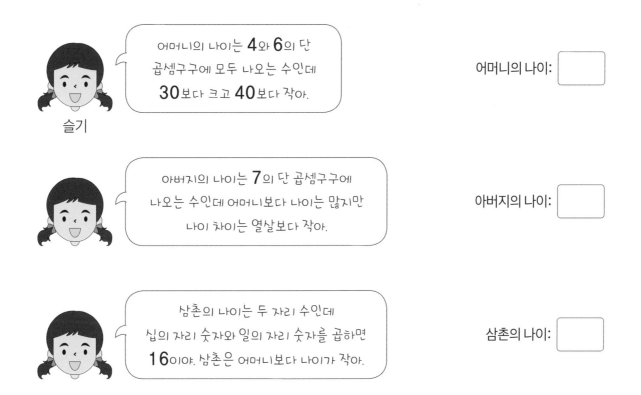

어머니의 나이는 **4**와 **6**의 단
곱셈구구에 모두 나오는 수인데
30보다 크고 **40**보다 작아.

슬기

아버지의 나이는 **7**의 단 곱셈구구에
나오는 수인데 어머니보다 나이는 많지만
나이 차이는 열살보다 작아.

삼촌의 나이는 두 자리 수인데
십의 자리 숫자와 일의 자리 숫자를 곱하면
16이야. 삼촌은 어머니보다 나이가 작아.

어머니의 나이: ☐

아버지의 나이: ☐

삼촌의 나이: ☐

1 이웃한 세 수 또는 네 수를 묶고 ×와 = 를 넣어 곱셈식을 만드세요.

| 2 | 5 | 1 | 2 | 8 | 9 | 7 | 2 |

| 6 | 6 | 4 | 7 | 2 | 8 | 5 | 3 |

2 주어진 숫자 카드를 한 번씩 모두 사용하여 곱셈식을 완성하세요.

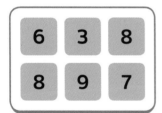

| 6 | 3 | 8 |
| 8 | 9 | 7 |

$$\begin{array}{r} \square \\ \times\ \square \\ \hline 4\ 2 \end{array}$$

$$\begin{array}{r} \square \\ \times\ \square \\ \hline 2\ 7 \end{array}$$

$$\begin{array}{r} \square \\ \times\ \square \\ \hline 6\ 4 \end{array}$$

3 숫자 카드의 일부 또는 전부를 사용하여 만들 수 있는 한 자리 수끼리의 곱셈식을 모두 쓰세요. (단, 곱하는 두 수의 순서만 바뀐 것은 같은 것으로 봅니다.)

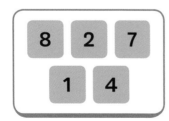

| 8 | 2 | 7 |
| 1 | 4 | |

_____

_____

_____

4 왼쪽 모양의 규칙을 찾아 빈 곳에 알맞은 수를 쓰세요.

	3	
9	18	2
	6	

	4	
3		8
	6	

	4	
6	36	6

	6	
		4
	2	

5 같은 모양은 같은 수, 다른 모양은 다른 수를 나타냅니다. ☐ 안에 알맞은 수를 쓰세요.

$3 \times \blacklozenge = 24$

$\bullet \times 4 = \blacklozenge$

$\bullet \times \blacklozenge = \boxed{}$

$\blacktriangledown \times 7 = 49$

$6 \times \bigstar = 54$

$\blacktriangledown \times \bigstar = \boxed{}$

$\pentagon \times 5 = 30$

$\hexagon \times 9 = 27$

$\pentagon \times \hexagon = \boxed{}$

$9 \times \blacksquare = 45$

$\blacklozenge \times 8 = 56$

$\blacksquare \times \blacklozenge = \boxed{}$

6 주어진 수를 각 단의 곱에 맞게 쓰세요.

4   8   12   16
20   24   28   32   36

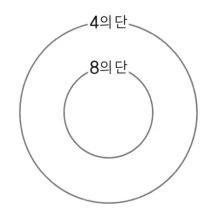

7 다음 조건에 맞는 수를 구하세요.

- 4, 8의 단 곱셈구구에 모두 나오는 수입니다.
- 2 × 9보다 큽니다.
- 3의 단 곱셈구구에도 나오는 수입니다.

8 준희 누나의 나이를 구하세요.

누나의 나이는 2와 6의 단 곱셈구구에
모두 나오는 수인데
10보다 크고 15보다 작아.

준희

누나의 나이:

응용 연산

정답

B1
초2 ~ 초3

곱셈구구

Creative to Math

씨투엠

곱셈

6·7쪽

193 묶어 세기

여러 가지 방법으로 묶어 세어 봅시다.

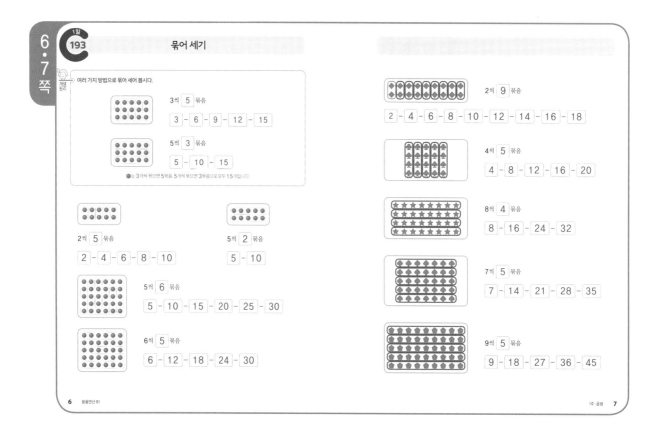

3씩 5 묶음
3 - 6 - 9 - 12 - 15

5씩 3 묶음
5 - 10 - 15

●는 3개씩 묶으면 5묶음 5개씩 묶으면 3묶음으로 모두 15개입니다.

2씩 5 묶음
2 - 4 - 6 - 8 - 10

5씩 2 묶음
5 - 10

5씩 6 묶음
5 - 10 - 15 - 20 - 25 - 30

6씩 5 묶음
6 - 12 - 18 - 24 - 30

2씩 9 묶음
2 - 4 - 6 - 8 - 10 - 12 - 14 - 16 - 18

4씩 5 묶음
4 - 8 - 12 - 16 - 20

8씩 4 묶음
8 - 16 - 24 - 32

7씩 5 묶음
7 - 14 - 21 - 28 - 35

9씩 5 묶음
9 - 18 - 27 - 36 - 45

8·9쪽

응용연산

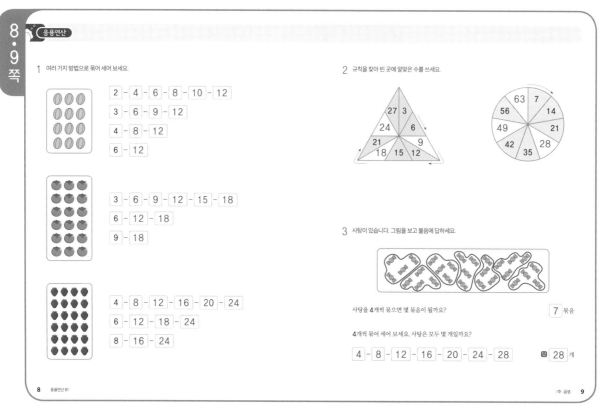

1 여러 가지 방법으로 묶어 세어 보세요.

2 - 4 - 6 - 8 - 10 - 12
3 - 6 - 9 - 12
4 - 8 - 12
6 - 12

3 - 6 - 9 - 12 - 15 - 18
6 - 12 - 18
9 - 18

4 - 8 - 12 - 16 - 20 - 24
6 - 12 - 18 - 24
8 - 16 - 24

2 규칙을 찾아 빈 곳에 알맞은 수를 쓰세요.

27 3
24 6
21 9
18 15 12

63 7
56 14
49 21
42 28
35

3 사탕이 있습니다. 그림을 보고 물음에 답하세요.

사탕을 4개씩 묶으면 몇 묶음이 될까요? 7 묶음

4개씩 묶어 세어 보세요. 사탕은 모두 몇 개일까요?
4 - 8 - 12 - 16 - 20 - 24 - 28 답 28 개

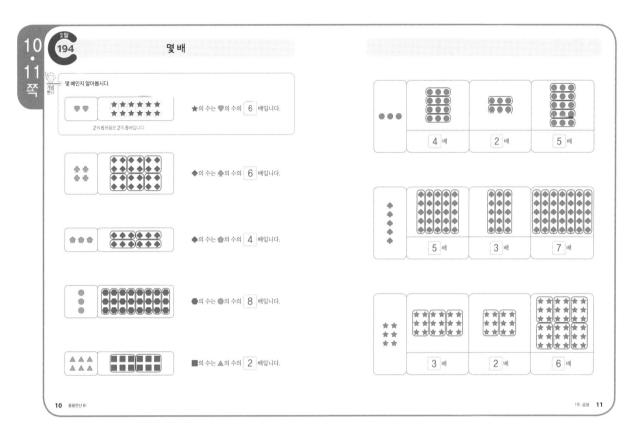

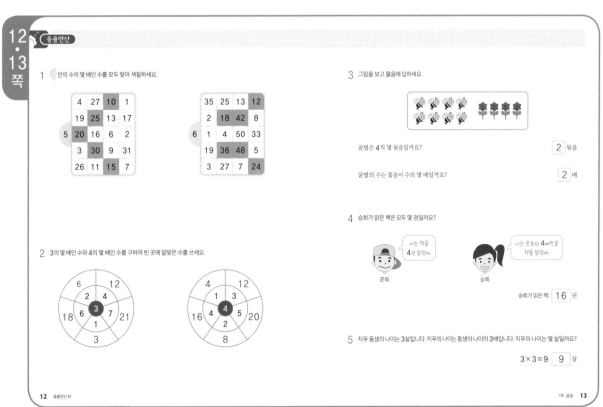

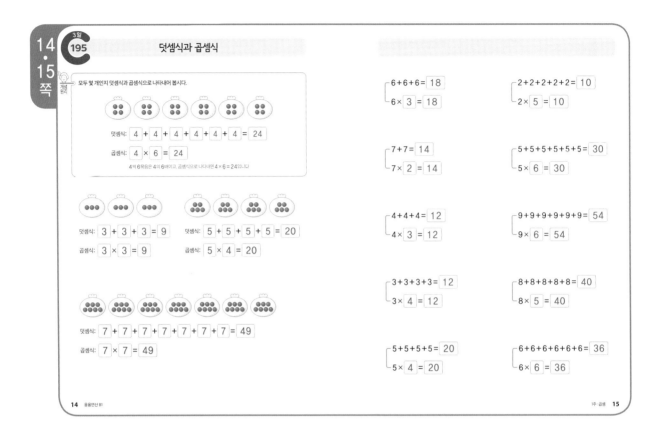

C 195 3일 덧셈식과 곱셈식

모두 몇 개인지 덧셈식과 곱셈식으로 나타내어 봅시다.

덧셈식: $4 + 4 + 4 + 4 + 4 + 4 = 24$

곱셈식: $4 \times 6 = 24$

4씩 6묶음은 4의 6배이고, 곱셈식으로 나타내면 $4 \times 6 = 24$입니다

덧셈식: $3 + 3 + 3 = 9$

곱셈식: $3 \times 3 = 9$

덧셈식: $5 + 5 + 5 + 5 = 20$

곱셈식: $5 \times 4 = 20$

덧셈식: $7 + 7 + 7 + 7 + 7 + 7 + 7 = 49$

곱셈식: $7 \times 7 = 49$

$6 + 6 + 6 = 18$
$6 \times 3 = 18$

$2 + 2 + 2 + 2 + 2 = 10$
$2 \times 5 = 10$

$7 + 7 = 14$
$7 \times 2 = 14$

$5 + 5 + 5 + 5 + 5 + 5 = 30$
$5 \times 6 = 30$

$4 + 4 + 4 = 12$
$4 \times 3 = 12$

$9 + 9 + 9 + 9 + 9 + 9 = 54$
$9 \times 6 = 54$

$3 + 3 + 3 + 3 = 12$
$3 \times 4 = 12$

$8 + 8 + 8 + 8 + 8 = 40$
$8 \times 5 = 40$

$5 + 5 + 5 + 5 = 20$
$5 \times 4 = 20$

$6 + 6 + 6 + 6 + 6 + 6 = 36$
$6 \times 6 = 36$

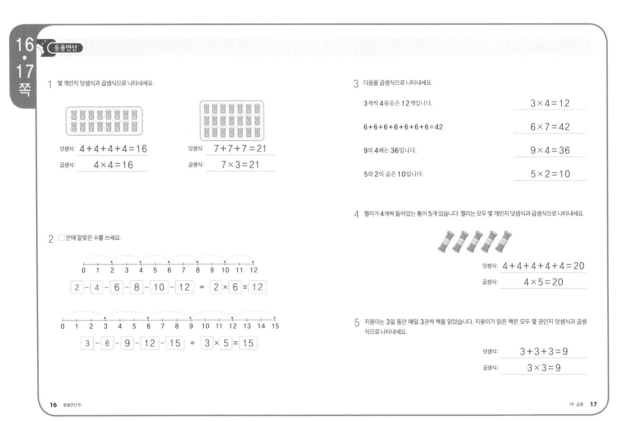

응용연산

1 몇 개인지 덧셈식과 곱셈식으로 나타내세요.

덧셈식: $4 + 4 + 4 + 4 = 16$

곱셈식: $4 \times 4 = 16$

덧셈식: $7 + 7 + 7 = 21$

곱셈식: $7 \times 3 = 21$

2 □ 안에 알맞은 수를 쓰세요.

0 1 2 3 4 5 6 7 8 9 10 11 12

$2 - 4 - 6 - 8 - 10 - 12 \Rightarrow 2 \times 6 = 12$

0 1 2 3 4 5 6 7 8 9 10 11 12 13 14 15

$3 - 6 - 9 - 12 - 15 \Rightarrow 3 \times 5 = 15$

3 다음을 곱셈식으로 나타내세요.

3개씩 4묶음은 12개입니다. $3 \times 4 = 12$

$6 + 6 + 6 + 6 + 6 + 6 + 6 = 42$ $6 \times 7 = 42$

9의 4배는 36입니다. $9 \times 4 = 36$

5와 2의 곱은 10입니다. $5 \times 2 = 10$

4 젤리가 4개씩 들어있는 통이 5개 있습니다. 젤리는 모두 몇 개인지 덧셈식과 곱셈식으로 나타내세요.

덧셈식: $4 + 4 + 4 + 4 + 4 = 20$

곱셈식: $4 \times 5 = 20$

5 지웅이는 3일 동안 매일 3권씩 책을 읽었습니다. 지웅이가 읽은 책은 모두 몇 권인지 덧셈식과 곱셈식으로 나타내세요.

덧셈식: $3 + 3 + 3 = 9$

곱셈식: $3 \times 3 = 9$

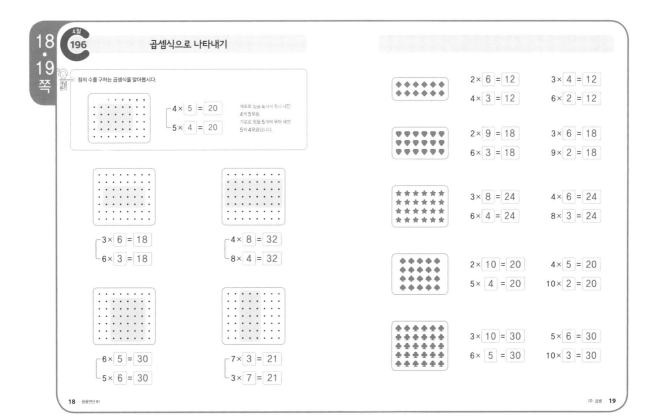

196 곱셈식으로 나타내기

점의 수를 구하는 곱셈식을 알아봅시다.

$4 \times 5 = 20$
$5 \times 4 = 20$

세로로 5칸씩 4개씩 묶어서 세면 4씩 5묶음, 가로로 점을 5개씩 묶어 세면 5씩 4묶음입니다.

$3 \times 6 = 18$
$6 \times 3 = 18$

$4 \times 8 = 32$
$8 \times 4 = 32$

$6 \times 5 = 30$
$5 \times 6 = 30$

$7 \times 3 = 21$
$3 \times 7 = 21$

$2 \times 6 = 12$ $3 \times 4 = 12$
$4 \times 3 = 12$ $6 \times 2 = 12$

$2 \times 9 = 18$ $3 \times 6 = 18$
$6 \times 3 = 18$ $9 \times 2 = 18$

$3 \times 8 = 24$ $4 \times 6 = 24$
$6 \times 4 = 24$ $8 \times 3 = 24$

$2 \times 10 = 20$ $4 \times 5 = 20$
$5 \times 4 = 20$ $10 \times 2 = 20$

$3 \times 10 = 30$ $5 \times 6 = 30$
$6 \times 5 = 30$ $10 \times 3 = 30$

응용연산

1 가로선과 세로선이 만나면 점이 생깁니다. ☐ 안에 알맞은 수를 쓰세요.

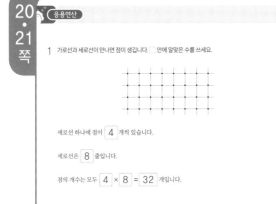

세로선 하나에 점이 4 개씩 있습니다.

세로선은 8 줄입니다.

점의 개수는 모두 4 × 8 = 32 개입니다.

2 다음을 보고 ☐ 안에 알맞은 수를 쓰세요.

$2 \times 6 = 12$
$4 \times 3 = 12$

$3 \times 6 = 18$
$9 \times 2 = 18$

3 빈 곳에 알맞은 그림을 그리고, 곱셈식을 쓰세요.

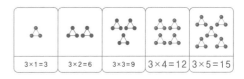

$3 \times 1 = 3$ $3 \times 2 = 6$ $3 \times 3 = 9$ $3 \times 4 = 12$ $3 \times 5 = 15$

4 택시 한 대에 바퀴가 4개씩 있습니다. 택시가 7대 있을 때 바퀴는 모두 몇 개인지 곱셈식으로 나타내세요.

곱셈식: $4 \times 7 = 28$

5 빵을 5개씩 6접시에 담았습니다. 접시에 담은 빵은 모두 몇 개인지 곱셈식으로 나타내세요.

곱셈식: $5 \times 6 = 30$

형성평가

1 여러 가지 방법으로 묶어 세어 보세요.

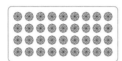

4 - 8 - 12 - 16 - 20 - 24 - 28 - 32 - 36

6 - 12 - 18 - 24 - 30 - 36

9 - 18 - 27 - 36

2 규칙을 찾아 빈 곳에 알맞은 수를 쓰세요.

3 5의 몇 배인 수와 6의 몇 배인 수를 구하여 빈 곳에 알맞은 수를 쓰세요.

4 지원이의 나이는 9살입니다. 어머니의 나이는 지원이 나이의 4배입니다. 어머니는 몇 살일까요?

$9 \times 4 = 36$ 36 살

5 사과가 3개씩 담긴 바구니가 모두 5개 있습니다. 바구니에 담긴 사과는 모두 몇 개일까요?

$3 \times 5 = 15$ 15 개

6 가로선과 세로선이 만나면 점이 생깁니다. 점의 개수는 모두 몇 개일까요?

3 × 7 = 21

7 다음을 곱셈식으로 나타내세요.

6개씩 6묶음은 36개입니다.	$6 \times 6 = 36$
$8+8+8+8+8+8+8+8+8=72$	$8 \times 9 = 72$
3의 5배는 15입니다.	$3 \times 5 = 15$
9와 3의 곱은 27입니다.	$9 \times 3 = 27$

8 가게에 두발자전거 4대와 세발자전거 6대가 있습니다. 두발자전거와 세발자전거의 바퀴의 수는 각각 몇 개인지 곱셈식으로 나타내세요.

곱셈식: $2 \times 4 = 8$

곱셈식: $3 \times 6 = 18$

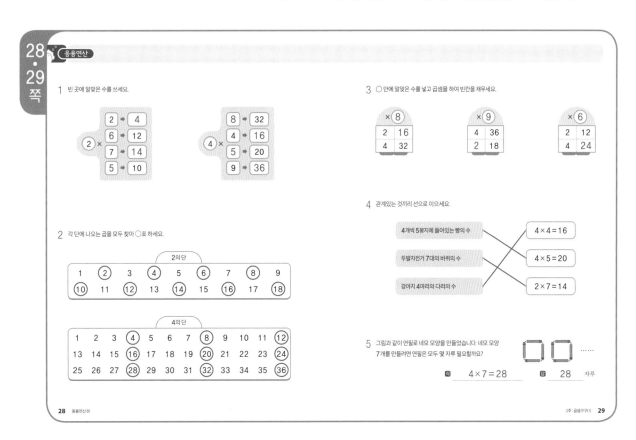

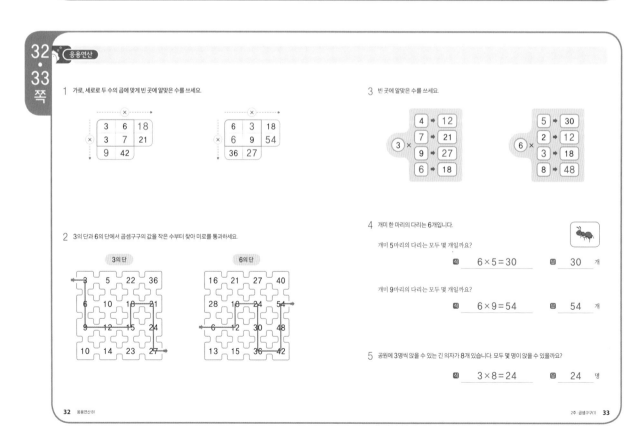

30·31쪽

C 198 | 2일

3과 6의 단 곱셈구구

개념원리

3과 6의 단 곱셈구구를 알아봅시다.

3의단
3× 1 = 3
3× 2 = 6
3× 3 = 9
3× 4 = 12
3× 5 =15
3× 6 = 18
3× 7 = 21
3× 8 = 24
3× 9 = 27

3의 단 곱셈구구에서 곱하는 수가 1씩 커지면 그 곱은 3씩 커집니다.

6의단
6× 1 = 6
6× 2 = 12
6× 3 =18
6× 4 = 24
6× 5 = 30
6× 6 = 36
6× 7 = 42
6× 8 = 48
6× 9 = 54

6의 단 곱셈구구에서 곱하는 수가 1씩 커지면 그 곱은 6씩 커집니다.

3×5=15
3×6=18 +3
3×7= 21 +3
3×8= 24 +3
3×9= 27 +3

6×5=30
6×6= 36 +6
6×7= 42 +6
6×8= 48 +6
6×9= 54 +6

3×2= 6   3× 5 =15   3×6= 18
3×5= 15   3× 7 =21   3×8= 24
3×9= 27   3× 4 =12   3×3= 9
3×7= 21   3× 8 =24   3×4= 12
6×8= 48   6× 2 =12   6×6= 36
6×4= 24   6× 5 =30   6×7= 42
6×3= 18   6× 6 =36   6×9= 54
6×2= 12   6× 9 =54   6×5= 30

32·33쪽

응용연산

1 가로, 세로 두 수의 곱에 맞게 빈 곳에 알맞은 수를 쓰세요.

×	3	6	18
×	3	7	21
	9	42	

×	6	3	18
×	6	9	54
	36	27	

2 3의 단과 6의 단에서 곱셈구구의 값을 작은 수부터 찾아 미로를 통과하세요.

3의단
3 5 22 36
6 10 18 21
9 12 15 24
10 14 23 27

6의단
16 21 27 40
28 18 24 54
6 12 30 48
13 15 36 42

3 빈 곳에 알맞은 수를 쓰세요.

3 × [4→12, 7→21, 9→27, 6→18]

6 × [5→30, 2→12, 3→18, 8→48]

4 개미 한 마리의 다리는 6개입니다.

개미 5마리의 다리는 모두 몇 개일까요?

식 $6×5=30$ 답 30 개

개미 9마리의 다리는 모두 몇 개일까요?

식 $6×9=54$ 답 54 개

5 공원에 3명씩 앉을 수 있는 긴 의자가 8개 있습니다. 모두 몇 명이 앉을 수 있을까요?

식 $3×8=24$ 답 24 명

C 199 3일

5의 단과 2~6의 단 종합

개념원리

5의 단 곱셈구구를 알아봅시다.

6마당 5 × 1 = 5　　　5 × 6 = 30
　　　5 × 2 = 10　　　5 × 7 = 35
　　　5 × 3 = 15　　　5 × 8 = 40
　　　5 × 4 = 20　　　5 × 9 = 45
　　　5 × 5 = 25

5의 단 곱셈구구에서 곱의 일의 자리 숫자는 0 또는 5입니다.

5 × 8 = 40　　　5 × 5 = 25　　　5 × 6 = 30

5 × 2 = 10　　　5 × 8 = 40　　　5 × 3 = 15

5 × 4 = 20　　　5 × 9 = 45　　　5 × 5 = 25

5 × 7 = 35　　　5 × 6 = 30　　　5 × 9 = 45

2 × 2 = 4　　　6 × 6 = 36　　　5 × 6 = 30

4 × 5 = 20　　　5 × 5 = 25　　　2 × 8 = 16

3 × 9 = 27　　　2 × 6 = 12　　　6 × 7 = 42

3 × 7 = 21　　　3 × 8 = 24　　　4 × 4 = 16

6 × 8 = 48　　　6 × 2 = 12　　　4 × 6 = 24

5 × 4 = 20　　　4 × 8 = 32　　　5 × 7 = 35

4 × 3 = 12　　　3 × 8 = 24　　　6 × 9 = 54

3 × 2 = 6　　　5 × 9 = 45　　　2 × 5 = 10

36·37쪽

응용연산

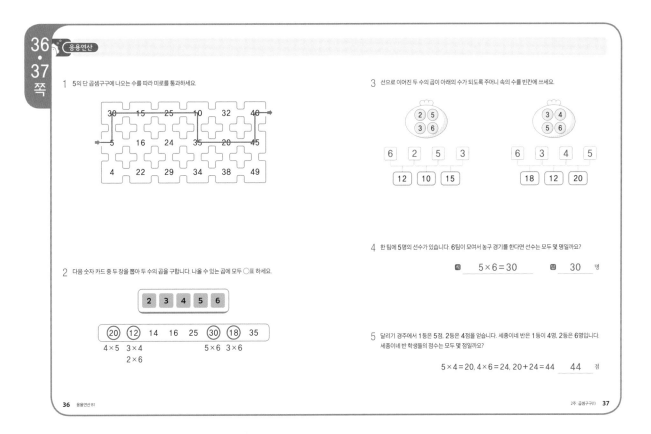

1 5의 단 곱셈구구에 나오는 수를 따라 미로를 통과하세요.

2 다음 숫자 카드 중 두 장을 뽑아 두 수의 곱을 구합니다. 나올 수 있는 곱에 모두 ○표 하세요.

2　3　4　5　6

⑳　⑫　14　16　25　㉚　⑱　35
4×5　3×4　　　　　5×6　3×6
　　　2×6

3 선으로 이어진 두 수의 곱이 아래의 수가 되도록 주머니 속의 빈칸에 쓰세요.

6　2　5　3　　　6　3　4　5

12　10　15　　　18　12　20

4 한 팀에 5명의 선수가 있습니다. 6팀이 모여서 농구 경기를 한다면 선수는 모두 몇 명일까요?

식　5 × 6 = 30　　답　30　명

5 달리기 경주에서 1등은 5점, 2등은 4점을 얻습니다. 세종이네 반은 1등이 4명, 2등은 6명입니다. 세종이네 반 학생들의 점수는 모두 몇 점일까요?

5 × 4 = 20, 4 × 6 = 24, 20 + 24 = 44　　44　점

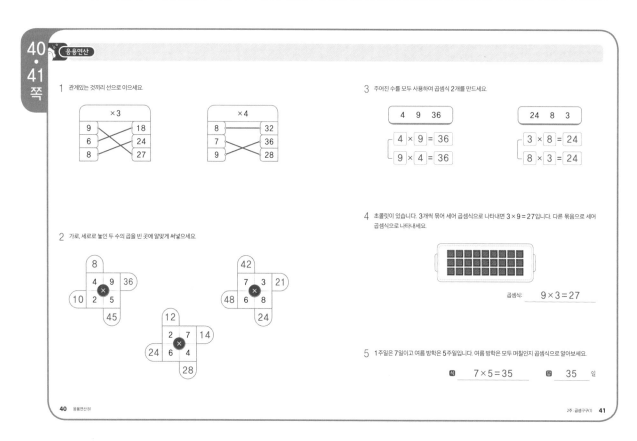

38·39쪽

바꾸어 곱하기

두 수를 바꾸어 곱을 구해 봅시다.

```
┌ 3×5 = 15        ┌ 2×6 = 12
└ 5×3 = 15        └ 6×2 = 12
```
두 수를 바꾸어 곱해도 계산 결과는 같습니다.

```
┌ 3×6 = 18    ┌ 5×6 = 30    ┌ 2×5 = 10
└ 6×3 = 18    └ 6×5 = 30    └ 5×2 = 10

┌ 4×6 = 24    ┌ 4×5 = 20    ┌ 3×4 = 12
└ 6×4 = 24    └ 5×4 = 20    └ 4×3 = 12

┌ 2×4 = 8     ┌ 1×6 = 6     ┌ 2×3 = 6
└ 4×2 = 8     └ 6×1 = 6     └ 3×2 = 6

┌ 2×7 = 14    ┌ 6×8 = 48    ┌ 4×9 = 36
└ 7×2 = 14    └ 8×6 = 48    └ 9×4 = 36
```

9×5=5× 9 = 45   8×4=4× 8 = 32

7×2=2× 7 = 14   9×3=3× 9 = 27

7×4=4× 7 = 28   8×5=5× 8 = 40

9×2= 18   9× 6 =54   8×6= 48

7×6= 42   8× 3 =24   9×6= 54

8×2= 16   9× 4 =36   7×3= 21

8×1= 8   7× 6 =42   8×3= 24

7×5= 35   9× 3 =27   9×1= 9

40·41쪽 응용연산

1 관계있는 것끼리 선으로 이으세요.

×3	
9	18
6	24
8	27

×4	
8	32
7	36
9	28

3 주어진 수를 모두 사용하여 곱셈식 2개를 만드세요.

[4 9 36]
```
┌ 4 × 9 = 36
└ 9 × 4 = 36
```

[24 8 3]
```
┌ 3 × 8 = 24
└ 8 × 3 = 24
```

4 초콜릿이 있습니다. 3개씩 묶어 세어 곱셈식으로 나타내면 3×9=27입니다. 다른 묶음으로 세어 곱셈식으로 나타내세요.

곱셈식: 9×3=27

2 가로, 세로로 놓인 두 수의 곱을 빈 곳에 알맞게 써넣으세요.

```
      8
    4 9  36
 10 2 ×5
      45
```

```
       42
     7 3  21
  48 6 × 8
       24
```

```
       12
     2 7  14
  24 6 × 4
       28
```

5 1주일은 7일이고 여름 방학은 5주일입니다. 여름 방학은 모두 며칠인지 곱셈식으로 알아보세요.

[식] 7×5=35   [답] 35 일

형성평가

42·43쪽

1 ○ 안에 알맞은 수를 찾고 곱셈을 하여 빈칸을 채우세요.

×②	
4	8
6	12
9	18

×④	
7	28
8	32
5	20

×③	
7	21
9	27
6	18

2 가로, 세로로 두 수의 곱에 맞게 빈 곳에 알맞은 수를 쓰세요.

×		
6	3	18
5	7	35
30	21	

×		
3	5	15
4	9	36
12	45	

3 다음 숫자 카드 중 두 장을 뽑아 두 수의 곱을 구합니다. 나올 수 있는 곱에 모두 ○표 하세요.

2	5	6	7	9

16　⑤35　36　⑫42　⑮45　24　25　㉚30

5×7　6×7 5×9　　5×6

4 5의 단에서 곱셈구구의 값을 작은 수부터 찾아 미로를 통과하세요.

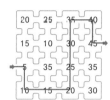

5 선으로 이어진 두 수의 곱이 아래의 수가 되도록 주머니 속의 수를 빈칸에 쓰세요.

2 | 4 | 6 | 5

8 | 24 | 30

3 | 5 | 6 | 2

15 | 30 | 12

44쪽

6 가로, 세로로 놓인 두 수의 곱을 빈 곳에 알맞게 써넣으세요.

7 주어진 수를 모두 이용하여 곱셈식 2개를 만드세요.

| 5 | 4 | 20 |

4 × 5 = 20
5 × 4 = 20

| 4 | 32 | 8 |

4 × 8 = 32
8 × 4 = 32

8 사탕 35개를 5개씩 묶어 세어 곱셈식으로 나타내면 5×7=35입니다. 다른 묶음으로 세어 곱셈식으로 나타내세요.

곱셈식: 7 × 5 = 35

정답 및 해설　**11**

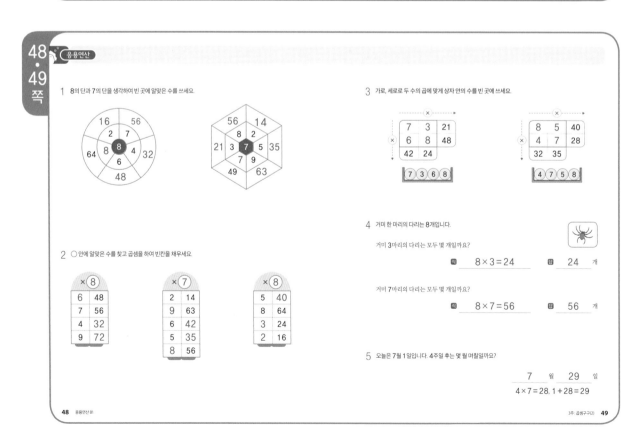

C 201 1일

7과 8의 단 곱셈구구

7과 8의 단 곱셈구구를 알아봅시다.

7의 단
$7 \times 1 = 7$
$7 \times 2 = 14$
$7 \times 3 = \boxed{21}$
$7 \times 4 = \boxed{28}$
$7 \times \boxed{5} = 35$
$7 \times 6 = \boxed{42}$
$7 \times 7 = \boxed{49}$
$7 \times \boxed{8} = 56$
$7 \times 9 = \boxed{63}$

7의 단 곱셈구구에서 곱하는 수가 1씩 커지면 그 곱은 7씩 커집니다.

8의 단
$8 \times 1 = 8$

8의 단 곱셈구구에서 곱하는 수가 1씩 커지면 그 곱은 8씩 커집니다.

$8 \times 2 = 16$
$8 \times \boxed{3} = 24$
$8 \times 4 = 32$
$8 \times 5 = \boxed{40}$
$8 \times 6 = \boxed{48}$
$8 \times 7 = 56$
$8 \times 8 = \boxed{64}$
$8 \times 9 = \boxed{72}$

$7 \times 5 = 35$
$7 \times 6 = 42$ $+7$
$7 \times 7 = \boxed{49}$ $+7$
$7 \times 8 = \boxed{56}$ $+7$
$7 \times 9 = 63$ $+7$

$8 \times 5 = 40$
$8 \times 6 = \boxed{48}$ $+8$
$8 \times 7 = \boxed{56}$ $+8$
$8 \times 8 = \boxed{64}$ $+8$
$8 \times 9 = \boxed{72}$ $+8$

$7 \times 6 = \boxed{42}$ $7 \times \boxed{8} = 56$ $7 \times 3 = \boxed{21}$

$7 \times 8 = \boxed{56}$ $7 \times \boxed{7} = 49$ $7 \times 5 = \boxed{35}$

$7 \times 2 = \boxed{14}$ $7 \times \boxed{3} = 21$ $7 \times 4 = \boxed{28}$

$7 \times 9 = \boxed{63}$ $7 \times \boxed{5} = 35$ $7 \times 7 = \boxed{49}$

$8 \times 4 = \boxed{32}$ $8 \times \boxed{2} = 16$ $8 \times 6 = \boxed{48}$

$8 \times 2 = \boxed{16}$ $8 \times \boxed{5} = 40$ $8 \times 9 = \boxed{72}$

$8 \times 7 = \boxed{56}$ $8 \times \boxed{8} = 64$ $8 \times 5 = \boxed{40}$

$8 \times 8 = \boxed{64}$ $8 \times \boxed{4} = 32$ $8 \times 3 = \boxed{24}$

46 응용연산 B1

3주: 곱셈구구(2) 47

응용연산

1 8의 단과 7의 단을 생각하여 빈 곳에 알맞은 수를 쓰세요.

왼쪽 원: 16, 56, 2, 7, 64, 8, 8, 4, 32, 6, 48 (중심 8)

오른쪽 육각형: 56, 14, 8, 2, 21, 3, 7, 5, 35, 7, 6, 49, 63 (중심 7)

2 ○안에 알맞은 수를 찾고 곱셈을 하여 빈칸을 채우세요.

×8
6	48
7	56
4	32
9	72

×7
2	14
9	63
6	42
5	35
8	56

×8
5	40
8	64
3	24
2	16

3 가로, 세로로 두 수의 곱에 맞게 상자 안의 수를 빈 곳에 쓰세요.

왼쪽:
×		
	7	3	21
	6	8	48
	42	24	

7 3 6 8

오른쪽:
×		
	8	5	40
	4	7	28
	32	35	

4 7 5 8

4 거미 한 마리의 다리는 8개입니다.

거미 3마리의 다리는 모두 몇 개일까요?

식 $8 \times 3 = 24$ 답 24 개

거미 7마리의 다리는 모두 몇 개일까요?

식 $8 \times 7 = 56$ 답 56 개

5 오늘은 7월 1일입니다. 4주일 후는 몇 월 며칠일까요?

7 월 29 일

$4 \times 7 = 28, 1 + 28 = 29$

48 응용연산 B1

3주: 곱셈구구(2) 49

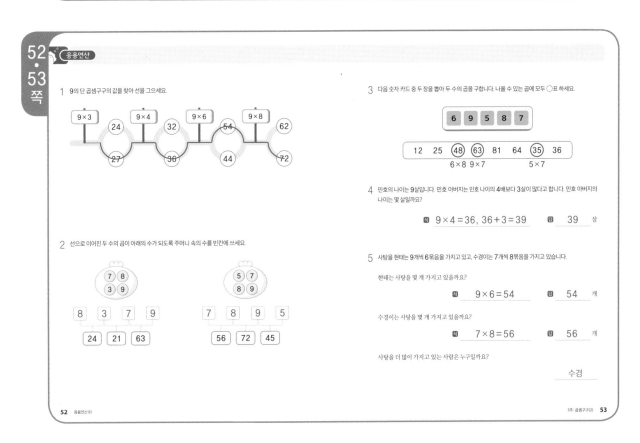

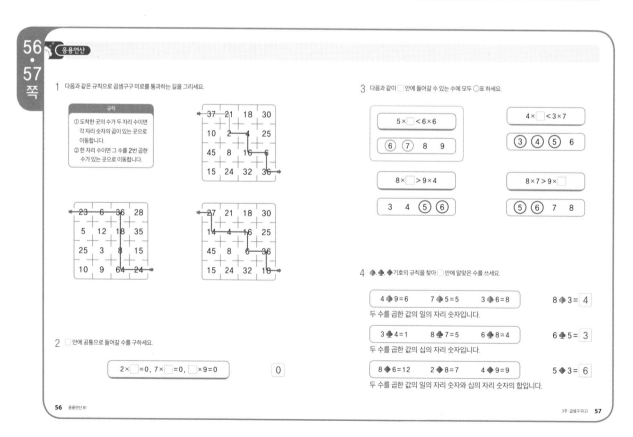

54·55쪽

203 C (3일) 곱셈구구

오른쪽과 아래쪽 방향으로 곱셈을 하여 만든 가로 세로 곱셈구구 퍼즐을 알아봅시다.

$2 \times 3 = \boxed{6}$ 　$5 \times \boxed{5} = 25$ 　$7 \times 9 = \boxed{63}$

$8 \times 6 = \boxed{48}$ 　$9 \times \boxed{2} = 18$ 　$5 \times 2 = \boxed{10}$

$4 \times 2 = \boxed{8}$ 　$2 \times \boxed{8} = 16$ 　$9 \times 4 = \boxed{36}$

$6 \times 9 = \boxed{54}$ 　$6 \times \boxed{7} = 42$ 　$3 \times 7 = \boxed{21}$

$9 \times 5 = \boxed{45}$ 　$8 \times \boxed{9} = 72$ 　$2 \times 6 = \boxed{12}$

$3 \times 4 = \boxed{12}$ 　$4 \times \boxed{4} = 16$ 　$6 \times 5 = \boxed{30}$

$5 \times 8 = \boxed{40}$ 　$7 \times \boxed{3} = 21$ 　$8 \times 3 = \boxed{24}$

$7 \times 7 = \boxed{49}$ 　$3 \times \boxed{6} = 18$ 　$4 \times 8 = \boxed{32}$

56·57쪽

응용연산

1 다음과 같은 규칙으로 곱셈구구 미로를 통과하는 길을 그리세요.

규칙
① 도착한 곳의 수가 두 자리 수이면 각 자리 숫자의 곱이 있는 곳으로 이동합니다.
② 한 자리 수이면 그 수를 2번 곱한 수가 있는 곳으로 이동합니다.

2 □안에 공통으로 들어갈 수를 구하세요.

$2 \times \square = 0, \ 7 \times \square = 0, \ \square \times 9 = 0$ 　$\boxed{0}$

3 다음과 같이 □안에 들어갈 수 있는 수에 모두 ○표 하세요.

$5 \times \square < 6 \times 6$ 　⑥ ⑦ 8 9

$4 \times \square < 3 \times 7$ 　③ ④ ⑤ 6

$8 \times \square > 9 \times 4$ 　3 4 ⑤ ⑥

$8 \times 7 > 9 \times \square$ 　⑤ ⑥ 7 8

4 ◆, ♣, ◈ 기호의 규칙을 찾아 □안에 알맞은 수를 쓰세요.

$4 ◆ 9 = 6$ 　$7 ◆ 5 = 5$ 　$3 ◆ 6 = 8$ 　$8 ◆ 3 = \boxed{4}$
두 수를 곱한 값의 일의 자리 숫자입니다.

$3 ♣ 4 = 1$ 　$8 ♣ 7 = 5$ 　$6 ♣ 8 = 4$ 　$6 ♣ 5 = \boxed{3}$
두 수를 곱한 값의 십의 자리 숫자입니다.

$8 ◈ 6 = 12$ 　$2 ◈ 8 = 7$ 　$4 ◈ 9 = 9$ 　$5 ◈ 3 = \boxed{6}$
두 수를 곱한 값의 일의 자리 숫자와 십의 자리 숫자의 합입니다.

C 204 4일 곱셈표

곱셈표를 완성하고, 틱 친의 곱에 어떤 규칙이 있는지 알아봅시다.

×	1	2	3	4	5	6	7	8	9
1	1	2	3	4	5	6	7	8	9
2	2	4	6	8	10	12	14	16	18
3	3	6	9	12	15	18	21	24	27
4	4	8	12	16	20	24	28	32	36
5	5	10	15	20	25	30	35	40	45
6	6	12	18	24	30	36	42	48	54
7	7	14	21	28	35	42	49	56	63
8	8	16	24	32	40	48	56	64	72
9	9	18	27	36	45	54	63	72	81

3의 단 곱셈구구에서는 곱이 3 씩 커집니다.

5의 단에서 곱의 일의 자리 숫자에는 5 와 0 이 번갈아 나옵니다.

9의 단에서 곱의 십의 자리 숫자와 일의 자리 숫자를 더하면 항상 9 가 됩니다.

1 의 단, 3 의 단, 7 의 단, 9 의 단 곱셈구구는 곱의 일의 자리 숫자가 1부터 9까지 모두 다릅니다.

×	2	3	4	5
3	6	9	12	15

×	6	7	8	9
6	36	42	48	54

×	1	2
4	4	8
5	5	10

×	8	9
2	16	18
3	24	27

×	6	7
6	36	42
7	42	49

×	3	4	5	6
2	6	8	10	12
3	9	12	15	18

×	5	6	7	8
4	20	24	28	32
5	25	30	35	40

×	4	5
3	12	15
4	16	20
5	20	25
6	24	30

×	7	8
2	14	16
3	21	24
4	28	32
5	35	40

×	2	3
6	12	18
7	14	21
8	16	24
9	18	27

응용연산

1 다음은 곱셈표의 일부분입니다. 빈칸에 알맞은 수를 쓰세요.

12	16	20	
15	20	25	30
18			
21			

12	14	16	18
	21	24	
	28		

15	20	25	30
	24	30	
	28		
	32		

25	30	35
30	36	42
35	42	49

42	48	
49	56	
48	56	64	72

2 곱셈표의 일부분입니다. 점선을 따라 접었을 때, 색칠한 칸과 만나는 곳에 알맞은 수를 쓰세요.

×	1	2	3	4	5	6
1			3			
2					10	
3						
4						
5						
6						24

3 오른쪽 곱셈표를 보고 물음에 답하세요.

×	1	2	3	4	5	6	7	8	9
1	1	2	3	4	5	6	7	8	9
2	2	4	6	8	10	12	14	16	18
3	3	6	9	12	15	18	21	24	27
4	4	8	12	16	20	24	28	32	36
5	5	10	15	20	25	30	35	40	45
6	6	12	18	24	30	36	42	48	54
7	7	14	21	28	35	42	49	56	63
8	8	16	24	32	40	48	56	64	72
9	9	18	27	36	45	54	63	72	81

곱셈구구표에서 3×8과 곱이 같은 곱셈구구를 모두 찾아쓰세요.

4×6, 6×4, 8×3

5의 단에서 곱의 일의 자리 숫자는 0, 5로 2가지가 있습니다. 곱의 일의 자리 숫자가 5가지인 곱셈구구는 몇 단인지 모두 쓰세요.

2의 단, 4의 단, 6의 단, 8의 단

곱셈구구표에서 4번 나오는 곱을 모두 쓰세요.

6, 8, 12, 18, 24

곱셈구구표에서 홀수 번 나오는 곱을 모두 쓰세요.

1, 4, 9, 16, 25, 36, 49, 64, 81

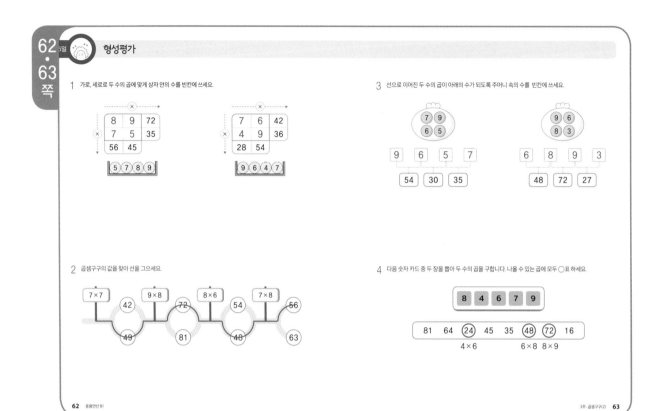

62·63쪽

1 가로, 세로로 두 수의 곱에 맞게 상자 안의 수를 빈칸에 쓰세요.

×		
8	9	72
7	5	35
56	45	

⑤ ⑦ ⑧ ⑨

×		
7	6	42
4	9	36
28	54	

⑨ ⑥ ④ ⑦

3 선으로 이어진 두 수의 곱이 아래의 수가 되도록 주머니 속의 수를 빈칸에 쓰세요.

⑦ ⑨
⑥ ⑤

9 6 5 7

54 30 35

⑨ ⑥
⑧ ③

6 8 9 3

48 72 27

2 곱셈구구의 값을 찾아 선을 그으세요.

7×7 → 49
9×8 → 72
8×6 → 48
7×8 → 56

42
81
54
63

4 다음 숫자 카드 중 두 장을 뽑아 두 수의 곱을 구합니다. 나올 수 있는 곱에 모두 ○표 하세요.

8 4 6 7 9

81 64 ㉔ 45 35 ㊽ ㊷ 16

4×6   6×8 8×9

64쪽

5 다음은 곱셈표의 일부분입니다. 빈칸에 알맞은 수를 쓰세요.

		24	28
	25	30	
	24	30	
21	28		

10			
12	18		
14	21	28	
16	24	32	40

6 젤리가 7개씩 9상자, 사탕이 8개씩 8상자 있습니다. 젤리와 사탕은 각각 몇 개씩 있고, 어느 것이 더 많을까요?

젤리: 63 개, 사탕: 64 개   사탕 이 더 많습니다.

7 진희가 하루에 8개씩 귤을 먹습니다. 진희가 일주일 동안 먹은 귤은 모두 몇 개일까요?

식 8×7=56   답 56 개

조건과 곱셈

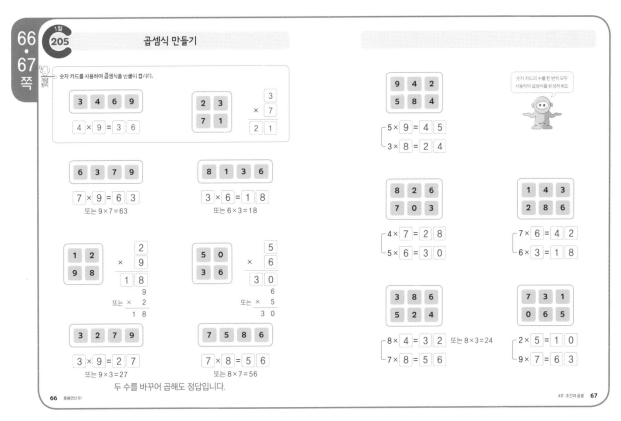

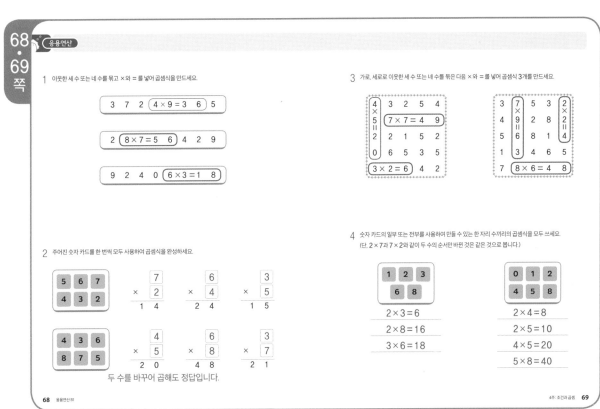

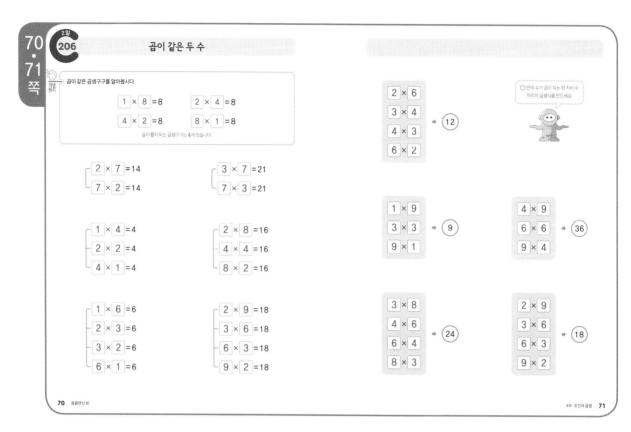

206 곱이 같은 두 수

70·71쪽

개념 권리

곱이 같은 곱셈구구를 알아봅시다.

$1 \times 8 = 8$ $2 \times 4 = 8$
$4 \times 2 = 8$ $8 \times 1 = 8$

곱이 8이 되는 곱셈구구는 4개 있습니다.

$2 \times 7 = 14$ $3 \times 7 = 21$
$7 \times 2 = 14$ $7 \times 3 = 21$

$1 \times 4 = 4$ $2 \times 8 = 16$
$2 \times 2 = 4$ $4 \times 4 = 16$
$4 \times 1 = 4$ $8 \times 2 = 16$

$1 \times 6 = 6$ $2 \times 9 = 18$
$2 \times 3 = 6$ $3 \times 6 = 18$
$3 \times 2 = 6$ $6 \times 3 = 18$
$6 \times 1 = 6$ $9 \times 2 = 18$

○ 안의 수가 곱이 되는 한 자리 수끼리의 곱셈식을 만드세요.

2×6
3×4
4×3 → (12)
6×2

1×9
3×3 → (9)
9×1

4×9
6×6 → (36)
9×4

3×8
4×6
6×4 → (24)
8×3

2×9
3×6
6×3 → (18)
9×2

70 응용연산 B1   4주·조건과 곱셈 71

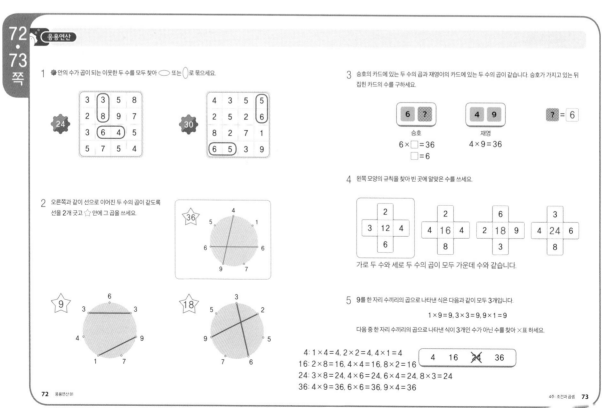

응용연산

72·73쪽

1 ● 안의 수가 곱이 되는 이웃한 두 수를 모두 찾아 ◯ 또는 ◯로 묶으세요.

24
3	3	5	8
2	8	9	7
3	6	4	5
5	7	5	4

30
4	3	5	5
2	5	6	6
9	5	8	1
6	5	3	9

2 오른쪽과 같이 선으로 이어진 두 수의 곱이 같도록 선을 2개 긋고 ☆ 안에 그 곱을 쓰세요.

☆36

☆9

☆18

3 승호의 카드에 있는 두 수의 곱과 재영이의 카드에 있는 두 수의 곱이 같습니다. 승호가 가지고 있는 뒤집힌 카드의 수를 구하세요.

6 ?   4 9   ? = 6

승호   재영
$6 \times \square = 36$ $4 \times 9 = 36$
$\square = 6$

4 왼쪽 모양의 규칙을 찾아 빈 곳에 알맞은 수를 쓰세요.

	2	
3	12	4
	6	

	2	
4	16	4
	8	

	6	
2	18	9
	3	

	3	
4	24	6
	8	

가로 두 수와 세로 두 수의 곱이 모두 가운데 수와 같습니다.

5 9를 한 자리 수끼리의 곱으로 나타낸 식은 다음과 같이 모두 3개입니다.

$1 \times 9 = 9, 3 \times 3 = 9, 9 \times 1 = 9$

다음 중 한 자리 수끼리의 곱으로 나타낸 식이 3개인 수가 아닌 수를 찾아 ×표 하세요.

4: $1 \times 4 = 4, 2 \times 2 = 4, 4 \times 1 = 4$
16: $2 \times 8 = 16, 4 \times 4 = 16, 8 \times 2 = 16$
24: $3 \times 8 = 24, 4 \times 6 = 24, 6 \times 4 = 24, 8 \times 3 = 24$
36: $4 \times 9 = 36, 6 \times 6 = 36, 9 \times 4 = 36$

| 4 | 16 | 24 | 36 |

72 응용연산 B1   4주·조건과 곱셈 73

3월
207
C

□가 있는 곱셈식

어떤 수를 □라 하여 식을 세우고 □에 알맞은 수를 구해 봅시다.

어떤 수와 5의 곱은 25입니다.   ➡   □ × 5 = 25

□ = 5

7에 어떤 수를 곱하면 42입니다.
➡ 7 × □ = 42
□ = 6

어떤 수 곱하기 8은 40입니다.
➡ □ × 8 = 40
□ = 5

4와 어떤 수의 곱은 32입니다.
➡ 4 × □ = 32
□ = 8

어떤 수와 9의 곱은 54입니다.
➡ □ × 9 = 54
□ = 6

8에 어떤 수를 곱하면 56입니다.
➡ 8 × □ = 56
□ = 7

어떤 수와 6의 곱은 36입니다.
➡ □ × 6 = 36
□ = 6

$6 \times \boxed{9} = 54$ $\boxed{3} \times 3 = 9$ $4 \times \boxed{7} = 28$

$\boxed{9} \times 3 = 27$ $7 \times \boxed{8} = 56$ $\boxed{8} \times 4 = 32$

$6 \times \boxed{5} = 30$ $\boxed{2} \times 8 = 16$ $5 \times \boxed{9} = 45$

$\boxed{7} \times 2 = 14$ $9 \times \boxed{7} = 63$ $\boxed{4} \times 9 = 36$

$6 \times 2 = 3 \times \boxed{4}$ $1 \times 9 = \boxed{3} \times 3$

$4 \times \boxed{9} = 6 \times 6$ $\boxed{6} \times 4 = 3 \times 8$

$3 \times 6 = 2 \times \boxed{9}$ $2 \times 3 = \boxed{1} \times 6$

$4 \times \boxed{4} = 8 \times 2$ $\boxed{2} \times 2 = 4 \times 1$

응용연산

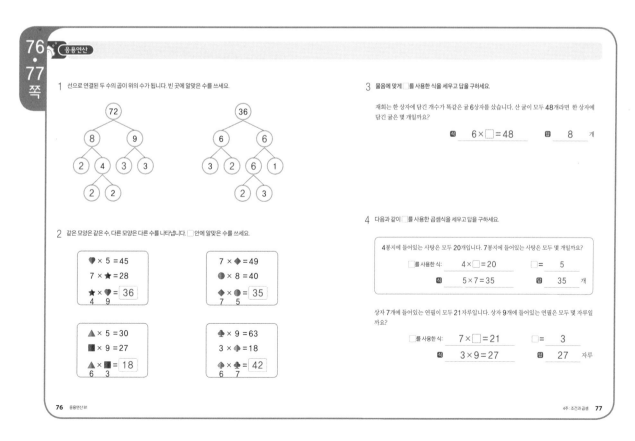

1 선으로 연결된 두 수의 곱이 위의 수가 됩니다. 빈 곳에 알맞은 수를 쓰세요.

```
        72                    36
      /    \                /    \
    8       9             6        6
   / \     / \           / \      / \
  2   4   3   3         3   2    6   1
 / \                           / \
2   2                         2   3
```

2 같은 모양은 같은 수, 다른 모양은 다른 수를 나타냅니다. □ 안에 알맞은 수를 쓰세요.

♥ × 5 = 45
7 × ★ = 28
★ × ♥ = 36
   4   9

7 × ◆ = 49
● × 8 = 40
◆ × ● = 35
   7   5

▲ × 5 = 30
■ × 9 = 27
▲ × ■ = 18
   6   3

♣ × 9 = 63
3 × ♠ = 18
♠ × ♣ = 42
   6   7

3 물음에 맞게 □를 사용한 식을 세우고 답을 구하세요.

재희는 한 상자에 담긴 개수가 똑같은 귤 6상자를 샀습니다. 산 귤이 모두 48개라면 한 상자에 담긴 귤은 몇 개일까요?

식 $6 \times \boxed{} = 48$ 답 8 개

4 다음과 같이 □를 사용한 곱셈식을 세우고 답을 구하세요.

4봉지에 들어있는 사탕은 모두 20개입니다. 7봉지에 들어있는 사탕은 모두 몇 개일까요?

□를 사용한 식: $4 \times \boxed{} = 20$ □ = 5

식 $5 \times 7 = 35$ 답 35 개

상자 7개에 들어있는 연필이 모두 21자루입니다. 상자 9개에 들어있는 연필은 모두 몇 자루일까요?

□를 사용한 식: $7 \times \boxed{} = 21$ □ = 3

식 $3 \times 9 = 27$ 답 27 자루

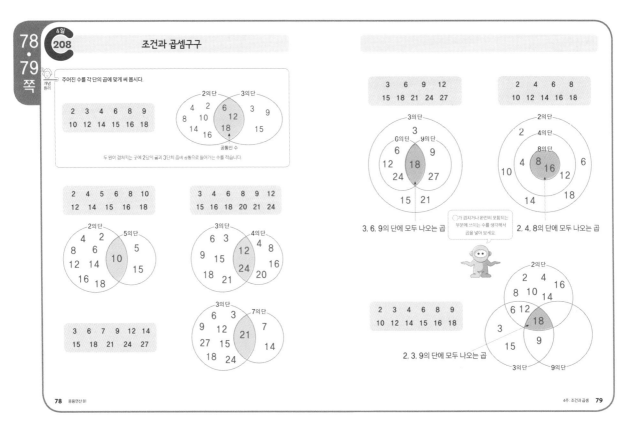

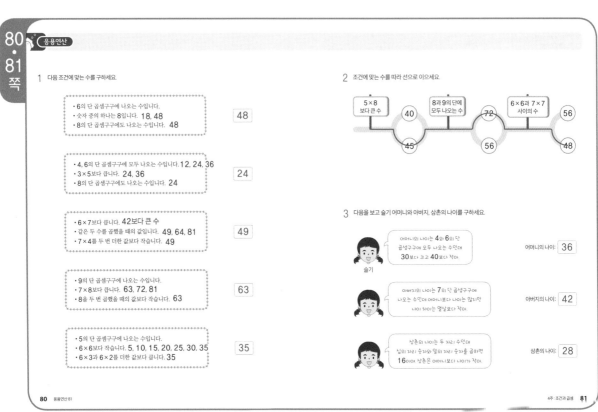

형성평가

1 이웃한 세 수 또는 네 수를 묶고 ×와 =를 넣어 곱셈식을 만드세요.

2 5 1 2 (8 × 9 = 7 2)

6 6 (4 × 7 = 2 8) 5 3

2 주어진 숫자 카드를 한 번씩 모두 사용하여 곱셈식을 완성하세요.

| 6 | 3 | 8 |
| 8 | 9 | 7 |

$\begin{array}{r} 6 \\ \times\ 7 \\ \hline 4\ 2 \end{array}$ $\begin{array}{r} 3 \\ \times\ 9 \\ \hline 2\ 7 \end{array}$ $\begin{array}{r} 8 \\ \times\ 8 \\ \hline 6\ 4 \end{array}$

두 수를 바꾸어 곱해도 정답입니다.

3 숫자 카드의 일부 또는 전부를 사용하여 만들 수 있는 한 자리 수끼리의 곱셈식을 모두 쓰세요. (단, 곱하는 두 수의 순서만 바뀐 것은 같은 것으로 봅니다.)

8 2 7
1 4

$2 \times 4 = 8$
$2 \times 7 = 14$
$4 \times 7 = 28$

4 왼쪽 모양의 규칙을 찾아 빈 곳에 알맞은 수를 쓰세요.

	3	
9	18	2
	6	

	4	
3	24	8
	6	

	4	
6	36	6
	9	

	6	
3	12	4
	2	

가로 두 수와 세로 두 수의 곱이 모두 가운데 수와 같습니다.

5 같은 모양은 같은 수, 다른 모양은 다른 수를 나타냅니다. ☐ 안에 알맞은 수를 쓰세요.

$3 \times \blacklozenge = 24$
$\bullet \times 4 = \blacklozenge$
$\bullet \times \blacklozenge = \boxed{16}$
2   8

$\blacktriangledown \times 7 = 49$
$6 \times \bigstar = 54$
$\blacktriangledown \times \bigstar = \boxed{63}$
7   9

$\pentagon \times 5 = 30$
$\pentagon \times 9 = 27$
$\pentagon \times \bullet = \boxed{18}$
6   3

$9 \times \blacksquare = 45$
$\blacklozenge \times 8 = 56$
$\blacksquare \times \blacklozenge = \boxed{35}$
5   7

---

6 주어진 수를 각 단의 곱에 맞게 쓰세요.

4 8 12 16
20 24 28 32 36

4의단
4 12
8의단
8 24
20 16 32 36
28

7 다음 조건에 맞는 수를 구하세요.

• 4, 8의 단 곱셈구구에 모두 나오는 수입니다. 8, 16, 24, 32
• 2 × 9보다 큽니다. 24, 32
• 3의 단 곱셈구구에도 나오는 수입니다. 24

$\boxed{24}$

8 준희 누나의 나이를 구하세요.

누나의 나이는 2와 6의 단 곱셈구구에
모두 나오는 수인데
10보다 크고 15보다 작아.

준희

누나의 나이: $\boxed{12}$

> "
> # Numbers rule the universe.
> "

"수가 우주를 지배한다"

Pythagoras, 피타고라스